Complementos de Formación Disciplinar

en Lengua Castellana y Literatura

Elia Saneleuterio Temporal

Apuntes Tirant

2021

ACCESO GRATIS a la Lectura en la Nube

Para visualizar el libro electrónico en la nube de lectura envíe junto a su nombre y apellidos una fotografía del código de barras situado en la contraportada del libro y otra del ticket de compra a la dirección:

ebooktirant@tirant.com

En un máximo de 72 horas laborales le enviaremos el código de acceso con sus instrucciones.

© TIRANT LO BLANCH
 EDITA: TIRANT LO BLANCH
 C/ Artes Gráficas, 14 - 46010 - VALENCIA
 TELFS.: 96/361 00 48 - 50
 Fax: 96/369 41 51
 Email: tlb@tirant.com
 www.tirant.com
 Librería Virtual: www.tirant.es
 DEPOSITO LEGAL: V-3197-2021
 ISBN: 978-84-1113-217-6
 MAQUETA E IMPRIME: Tink Factoría de Color , S.L.

Si tiene alguna queja o sugerencia, envíenos un mail a: atencioncliente@tirant.com.
En caso de no ser atendida su sugerencia, por favor, lea nuestro procedimiento de quejas en:
www.tirant.net/index.php/empresa/politicas-de-empresa

Responsabilidad Social Corporativa
http://www.tirant.net/Docs/RSCTirant.pdf

ÍNDICE

FUNDAMENTOS PARA UNA ENSEÑANZA COMUNICATIVA DE LA LENGUA Y LA LITERATURA

El lenguaje y el enfoque comunicativo

Hubo un lenguaje en el que todo era posible.
Decías luz y se hacía la luz.
Nombraste a la mujer
o misterio entre tapices
y renacía la luz.

Ha nacido la luz.
Y puedo contemplarlo entre mis dedos.

Y dime qué haremos con tanta luz.

Dime tú y yo qué haremos.

Según el *Diccionario de la lengua española* (*DLE*) (RAE, 2014), la lengua se define como un «sistema de comunicación verbal propio de una comunidad humana y que cuenta generalmente con escritura». El hecho de que su definición ligue cada lengua a una comunidad de hablantes da cuenta de la relevancia social del fenómeno lingüístico, que no solo no podría nacer y desarrollarse sin sociedades, sino que además en ellas ejerce un papel fundamental transversal como instrumento vehicular de otras manifestaciones sociales (López y Encabo, 2002). Las relaciones interpersonales, las manifestaciones culturales y la transmisión de ideas tienen mucho que ver, pues, con la capacidad humana para la expresión y comprensión tanto orales como escritas. Además, aparte de servir para la difusión de conocimientos, la lengua es un elemento imprescindible para su construcción y avance; es lo que se conoce como función epistémica, que caracteriza a la escritura, pero también a la oralidad (Molina y Carlino, 2013; Navarro, Ávila y Cárdenas, 2020).

Esa naturaleza viva de la lengua, que surge y evoluciona en el seno de las sociedades, y a veces desaparece con ellas, nos da a entender que las características de su sistema interno no vienen impuestas, sino que se fraguan a través del uso. La tarea normativizadora que las academias lingüísticas desarrollan no es sino el intento de preservar algo que se siente como un bien intrínseco. Para ello, las instituciones que por su tradición y conocimiento de una lengua dada reciben el encargo de seguir estudiándola y acotándola deben fijarse en los diversos usos que se les da a las palabras y expresiones, atribuyendo sus rasgos a uno u otro ámbito. Es así como el uso culto del idioma suele suponer un indicio valioso para considerar correctas o recomendables ciertas combinaciones, mientras que determinados vocablos y modismos que solo se oyen en las hablas populares son marcados como vulgares y arrastran cierto desprestigio. Sin embargo, los usos concretos de la lengua tienen muchos matices y no suelen ubicarse en posiciones extremas, sino que expresiones que no son aceptadas en un momento pueden llegar a expandirse en manifestaciones formales de la lengua, proceso que exige continuos reajustes en la norma lingüística. La continua reflexión sobre la norma lingüística sirve para eliminar las vacilaciones propias de las épocas de cambio, en pro de establecer soluciones que puedan considerarse definitivas —en un momento dado y siempre que el uso las refrende—.

Diferencias en el uso social de la lengua

Las diversas corrientes lingüísticas coinciden en considerar que la lengua, aparte de tener un carácter dinámico que la hace evolucionar a través del tiempo y según los territorios en los que se habla, no es una entidad abstracta y homogénea, sino que está configurada por una enorme diversidad interna. Esa capacidad divergente se manifiesta a distintos niveles: desde las variedades lingüísticas contextuales —determinadas por la época, región o clase social a las que se pertenece— hasta las variedades de uso o registros; desde las tipologías textuales hasta los infinitos géneros discursivos, que van creándose o cayendo en desuso según las necesidades comunicativas de los usuarios que se sirven de ellos, siempre originados por las características concretas de la situación comunicativa en que emergen —propósito, tema, canal, etc.—, por no hablar del estilo personal con que cada persona se expresa. Estas diferentes manifestaciones en el uso tienen que ver, pues, con las diversas exigencias de los contextos sociales respecto del lenguaje que se emplea en ellos.

Así pues, el uso que en la sociedad se hace de la lengua depende de la situación comunicativa concreta en la que tiene lugar el discurso, en la medida en que esta está relacionada con factores diversos, como el canal —oral o escrito—, el registro —formal o no formal— y la actividad discursiva —tipología textual: géneros y subgéneros discursivos—.

El dilema entre norma y uso

Entre las acepciones que ofrece el *DLE* para los términos «norma» y «uso», vale la pena detenerse en seis:

> **norma.**
> [...]
> 4. f. *Ling.* Conjunto de criterios lingüísticos que regulan el uso considerado correcto.
> 5. f. *Ling.* Variante lingüística que se considera preferible por ser más culta. (RAE, 2014)

uso.
[...]
2. m. Ejercicio o práctica general de algo.
3. m. moda.
4. m. Modo determinado de obrar que tiene alguien o algo.
5. m. Empleo continuado y habitual de alguien o algo. (RAE, 2014)

Es común, o debería serlo, al menos entre el profesorado de materias lingüísticas, la constante preocupación por establecer lazos entre lenguaje —entendido como la capacidad básica para el comportamiento social— y lengua —idioma concreto que se enseña y aprende—. Así, a cada docente de lengua se le supone la necesidad de no separar drásticamente la lengua de su contexto sociocultural. Como meta general, suele hablarse de la conveniencia de lograr una suerte de equilibrio entre los dos extremos, que corresponderían a, por un lado, la excesiva atención a las formas lingüísticas puras —que distorsiona las formas y expresiones producidas en el uso real por parte de los hablantes, a favor de un estándar y una tradición continuada y culta que puede parecer muy alejada de la realidad comunicativa del alumnado— y, por otro, a la concentración excesiva en los usuarios o en los contextos —en que la enseñanza de las formas se llega a convertir en superficial y poco útil para la generalización de reglas, proceso que ayuda a cada estudiante a aumentar su competencia en comunicación lingüística—.

Factores que intervienen en la comunicación

Como es bien sabido, para que pueda establecerse comunicación es preciso que existan los siguientes factores:

- ✧ Emisor y receptor: quien emite el mensaje y quien lo recibe, respectivamente. Pueden ser una persona, un grupo de personas, un animal y hasta una máquina.
- ✧ Mensaje: la información o el conjunto de informaciones que se transmiten.
- ✧ Canal de comunicación: la vía por la cual circula el mensaje. Según sean los canales de circulación, los mensajes se dividen en sonoros (lenguaje oral, sonidos, músicas, ruidos, etc.) y visuales (lenguaje escrito, dibujos, gráficos, planos, señales de circulación, etc.). Aunque menos frecuentes, también existen los sensoriales.
- ✧ Código: el conjunto de signos y de reglas para combinarlos. Puede referirse al idioma en el que está redactado un mensaje o a otros códigos de comunicación no verbal.
- ✧ Situación de comunicación: el contexto en el que se transmite el mensaje y que contribuye esencialmente a su comprensión. Por ejemplo, si estamos en clase, un timbre significa que ha terminado la sesión; si se escucha en casa, significa que alguien llama a la puerta.

La revisión de las funciones del lenguaje

Las tres funciones básicas del lenguaje son la representativa, la expresiva y la apelativa, centradas en tres elementos básicos de la comunicación: el referente, el emisor y el receptor, respectivamente (Bühler, 1933). Jakobson (1963) añadió otras tres fundamentales: la metalingüística —centrada en el código—, la fática —en el canal— y la poética —en la forma del propio mensaje—. Cabe reflexionar, sin embargo, sobre el hecho de que la comunicación se da siempre mediante un texto o discurso concreto, y por ello resulta pertinente considerar, desde un punto de vista funcional, las metafunciones de Halliday (1978, p. 148):

◇ Componente ideacional o ideativo: sobre la relación del hablante con el mundo que lo rodea (incluyendo su mente). Expresa experiencia, pero también estructura (cómo vemos el mundo).

◇ Componente interpersonal: permite establecer o mantener relaciones sociales. Se basa en la interacción y sirve para expresar los diferentes papeles sociales (incluyendo los roles que asumimos en la comunicación).

◇ Componente textual (instrumental para los otros dos): a través de él se establece correspondencia entre la lengua y la situación en que se emplea. Además, permite establecer las relaciones de cohesión entre las partes de un texto y su adecuación a la situación comunicativa.

Detrás de estas funciones subyace la convicción de que la lengua y la sociedad —*social men*, en palabras de Halliday (1974; 1978)— constituyen un concepto unido que necesita comprenderse e investigarse como un todo. La lengua se concibe como el medio por el que el ser humano se hace persona; es la consecuencia de pertenecer a una sociedad y desempeñar roles sociales. Halliday lo matiza con estas palabras:

> Reconocerlo no es un mero ejercicio académico, toda la teoría y toda la práctica de la educación dependen de ello, y no es exageración sugerir que gran parte de nuestros fracasos en los últimos años —el fracaso de las escuelas al hacer frente a la contaminación social— puede tener origen en la falta de un conocimiento profundo de la naturaleza de las relaciones entre lengua y sociedad; específicamente, de los procesos, que en grado muy apreciable son procesos lingüísticos, mediante los cuales un organismo humano se transforma en un ser social. (Halliday, 1978, p. 22)

Necesidad de pluridisciplinariedad

Dada la relación evidente entre lenguaje y sociedad, entre lengua y contexto de uso, parece indiscutible que la humanidad del lenguaje implica la necesidad de estudiarlo desde múltiples puntos de vista, no desdeñando para ello la complementariedad de varias disciplinas, como ya sugería Coseriu en los años setenta (1977, p. 10).

Si el estudio de la lengua no puede olvidar el contexto social donde se produce, cabe no perder de vista dos aspectos: por un lado, que la sociedad y la cultura no son meros marcos o contextos donde se sitúan los usos lingüísticos, sino que determinan muchos de sus rasgos; y, por otro, que las diferentes disciplinas que estudian la lengua en su uso ofrecen un acercamiento al texto como unidad de comunicación, proceso y producto, considerando la importancia de esos contextos sociales, culturales y cognitivos en los que se producen los mensajes. Así pues, algunas disciplinas que estudian la lengua desde puntos de vista diferentes y complementarios son las siguientes (*cfr.* Lomas y Osoro, 1993; Tusón, 1996):

- *Semiótica:* estudia el lenguaje de los signos en la vida social (indicios, iconos, símbolos).
- *Pragmática:* se encarga del lenguaje en su relación con los usuarios y las circunstancias de la comunicación comunicativa (normas de cortesía, lo políticamente correcto, etc.).
- *Sociolingüística:* disciplina que estudia las relaciones entre lengua y sociedad (lenguas en contacto, conflicto lingüístico, diglosia...).
- *Lingüística textual:* determina las propiedades que deben compartir determinados textos de distintas lenguas (tipos de texto: instructivo, conversacional, argumentativo...).
- *Lingüística:* estudia la lengua como disciplina (nivel fonético, fonológico, ortográfico, morfológico, léxico, sintáctico).
- *Psicolingüística:* aborda los procesos cognitivos en el uso y aprendizaje de una lengua concreta.
- *Otras:* etnolingüística, sociología, antropología... No consideran la lengua como objeto de estudio específico, pero incluyen consideraciones que amplían el conocimiento que aportan las anteriores disciplinas.

Entre las propuestas que se derivan de la inclusión, dentro de su espacio de interrogantes, de la reflexión sobre el lenguaje, podemos mencionar también el análisis del discurso o la sociolingüística interaccional, que comparten al menos dos puntos de coincidencia con la lingüística textual: «centran el estudio lingüístico en unidades discursivas que no se limitan al marco oracional por considerar que no es la oración el núcleo a partir del cual es posible entender los fenómenos comunicativos» y comparten «la atención a los aspectos pragmáticos de la comunicación que ligan el discurso oral, escrito, iconográfico a sus contextos de producción y recepción» (Lomas, Osoro y Tusón, 1993, p. 30).

Concepciones de la lengua y paradigmas de estudio

Para Halliday (1978), la capacidad de hablar y entender la lengua depende de dos fenómenos, uno *intraorgánico,* que estructura el interior de la mente y los procesos cerebrales, y otro *interorgánico,* que tiene que ver con el aprendizaje por imitación y la necesidad de comunicación.

Así pues, podemos entender la lengua como conocimiento —de producción y de comprensión, lo que implica cuatro destrezas, según sean orales o escritas— o como comportamiento —según la función o interacción social, lo que requiere habilidades pragmáticas e implica a la sociolingüística—. Esto podría equivaler a la tradicional oposición entre la lengua como sistema aislado (Saussure, 1916) y la lengua como resultado de la interacción humana, si bien el estudio de la lengua desde ambos puntos de vista debería considerarse como complementario.

Estas concepciones de la lengua influyen enormemente en el modo en que nos acercamos no solo a su estudio, sino también, consecuentemente, a la hora de planificar su enseñanza, proceso de toma de decisiones en el que asimismo influyen las diferentes teorías del aprendizaje con las que cada docente se identifica en mayor o menor medida. Todo esto determinará el tipo de actividades que se lleve al aula:

- ✧ Conductismo: imitación y repetición a través de ejercicios estructurales.
- ✧ Innatismo (Chomsky): el lenguaje, como capacidad innata, permite el aprendizaje de las reglas gramaticales.
- ✧ Cognitivismo: diferentes estrategias cognitivas en el aprendizaje de lenguas maternas/extranjeras. La práctica modifica la cognición.
- ✧ Interaccionismo (Vigotsky): interacción con hablantes expertos, dada la importancia de contar con muestras de lengua de calidad.

Así pues, de la combinación de las distintas maneras de concebir el aprendizaje y de explicar la naturaleza de la lengua surgen los distintos paradigmas de enseñanza de lenguas que se han utilizado a través del tiempo. Algunos de los más conocidos o influyentes son los siguientes:

- ✧ Métodos gramaticales: análisis de las reglas gramaticales, traducción, comparación con lengua materna.
- ✧ Movimientos de reforma: preeminencia de la lengua oral, enseñanza inductiva de la gramática, rechazo a las actividades de traducción.
- ✧ Métodos naturales: monólogos y diálogos basados en preguntas y respuestas, repetición, gestos, dibujos, objetos...
- ✧ Métodos directos: léxico y estructuras cotidianas, enseñanza inductiva de la gramática, énfasis en la pronunciación.
- ✧ Métodos audiolingües: escuchar, repetir, memorizar, trabajar con estructuras seleccionadas y realizar ejercicios estructurales.
- ✧ Métodos procesuales: desarrollo de estrategias cognitivas (Flower y Hayes, 1980; 1981; Flower, 1989).
- ✧ Enfoques basados en el contenido: dimensión epistémica de la lengua (Murray, 1990; Brookes y Grundy, 1990).
- ✧ Enfoques por tareas.
- ✧ Enfoques funcionales o comunicativos.

El discurso como unidad comunicativa

Si volvemos al interés por la diversidad discursiva, esta ha generado una investigación de tipologías y clasificaciones de textos según sean más o menos adecuados a los propósitos comunicativos de cada situación y momento.

El hecho de que los textos se manifiesten de maneras tan diversas ha planteado la necesidad de disponer de clasificaciones que detallen sus rasgos por categorías. La tipología textual ha pasado a ser, pues, una herramienta fundamental para la lingüística del texto, en cuyo marco, desde los años setenta, han proliferado diversas clases de categorizaciones. Dos de las propuestas más extendidas basan las tipologías en sendas perspectivas, categorizando los textos bien en función del ámbito de uso en el que se producen, bien según los procedimientos cognitivos que requieren. Según este último punto de vista, los textos —o las secuencias textuales, como veremos— presentan diferencias procedimentales en la organización cognitiva de los contenidos. Estos rasgos propios vienen determinados por factores relacionados con los diferentes elementos de la comunicación:

- ✧ Intencionalidad. Actitud de quien emite el mensaje; por ejemplo, puede pretender transmitir conocimiento, convencer de una postura o alcanzar un objetivo.
- ✧ Aceptabilidad. Actitud esperable de la persona a quien va dirigido el mensaje. Se refiere a su percepción de que la información es relevante y de que las características textuales se adecuan al tipo de texto, al nivel de cortesía requerido según la situación social, al modo en que se consiguen o no las metas del intercambio comunicativo...
- ✧ Informatividad. Grado de novedad en la información que transmite el mensaje: cuanto más predecibles resultan las secuencias textuales menos informan.
- ✧ Situacionalidad. Relevancia del mensaje en la en la situación en la que se transmite.
- ✧ Intertextualidad. Grado de dependencia o relación con textos anteriores, cuyo conocimiento puede llegar a ser imprescindible para la comprensión plena.

La tipología referencial (Werlich, 1975), llamada así porque se basa en el elemento del contexto o referente que el hablante prioriza, distingue cinco tipos de texto, ligados a cinco *focos contextuales* y a procedimientos cognitivos concretos:

- ✧ La descripción destaca fenómenos fácticos en el espacio, por lo que está ligada a la percepción espacial, es decir, a los fenómenos, agentes, objetos y su distribución o presencia.
- ✧ La narración está ligada a la percepción temporal, es decir, pone el foco en los fenómenos fácticos o conceptuales ubicados el tiempo: acciones, hechos o secuencias de transformación de personas u objetos.
- ✧ La exposición se relaciona con la síntesis o análisis de ideas conceptuales, lo que implica aportar información sobre la identificación de fenómenos y las relaciones entre ellos.
- ✧ La argumentación lo que relaciona son las manifestaciones de las personas y los conceptos desde el punto de vista subjetivo; por tanto, supone una toma de posición por parte del hablante.

❖ La instrucción pone el foco en el comportamiento futuro de la persona destinataria del mensaje, para lo que resulta necesario incluir reclamos de atención y apelaciones directas.

De las tipologías textuales a los géneros discursivos

Otra de las clasificaciones que ha tenido bastante repercusión en el ámbito educativo ha sido la tipología secuencial de J. M. Adam (1985). Este profesor reformula y amplía la propuesta de Werlich, cambiando alguna nomenclatura —para la exposición prefiere hablar de secuencia explicativa, por ejemplo—, y añadiendo otras como la conversacional —cuya función es dialogar, sea de manera espontánea, formal o literaria, como en el teatro—, la predictiva —dedicada a informar sobre hechos futuros o su probabilidad— y la retórica —que presta atención al propio lenguaje—. Además, la base o criterio de clasificación de cada texto ya no es el foco contextual, sino la función comunicativa global de cada secuencia.

En todo caso, lo más significativo de su enfoque es la consideración de que no es frecuente encontrarse con textos «puros» de un tipo determinado, ya que las diferentes categorías no se materializan en realidades pertenecientes a compartimentos estancos. Es frecuente, por ejemplo, que un texto con una finalidad dominante claramente persuasiva incorpore fragmentos expositivos, e incluso narrativos o descriptivos. Ante esta realidad, hay que tener en cuenta que la finalidad dominante es la que reordena y da sentido, en última instancia, a todos los recursos lingüísticos de un texto.

En coherencia con esta idea, Adam (1987) se decanta por la conveniencia general de hablar de «secuencias textuales» en lugar de «tipos de textos», entre las que distingue seis, que corresponden a las tipologías anteriores con excepción del texto retórico y del predictivo. Adam propone definir las secuencias textuales como formas prototípicas que se combinan en un mismo texto para organizar la planificación global o para cohesionar una serie limitada de unidades lingüísticas según un plan textual. En 1992, Adam acaba reduciendo el número de tipos básicos, excluyendo ahora el instructivo, de manera que finalmente propone y estudia cinco tipos de secuencias prototípicas o elementales: narración, descripción, argumentación, explicación y diálogo (Adam, 1992).

En definitiva, entre las diferentes propuestas de clasificación textual —que atienden a distintos criterios— destacan, por su funcionalidad, las que priorizan la finalidad, que guía la planificación de todo discurso: qué se pretende con el texto que se va a elaborar y qué efecto se desea conseguir en el receptor: hacerle comprender, informarle, convencerlo, darle pautas...

Si consideramos el discurso, y no el texto, como actividad comunicativa, la caracterización de los tipos de textos nos debe llevar a su localización en géneros discursivos concretos. La tabla 1 relaciona de manera didáctica las tipologías textuales con los géneros prototípicos que las incluyen.

Esto enlaza con el otro tipo principal de categorización textual mencionada arriba, que tenía en cuenta los ámbitos de uso o sectores de la actividad humana. Así, en Cassany, Luna y Sanz (1994) se identifican siete de estos ámbitos (tabla 2).

	Descriptiva	Narrativa	Expositiva	Argumentativa	Instructiva
Intención comunicativa	Describir, informar sobre estados ¿CÓMO ES?	Narrar, informar sobre acciones y hechos, reales o de ficción ¿QUÉ SUCEDE? ¿QUÉ HACE?	Exponer, explicar, informar para hacer entender una idea o concepto a alguien, con intención didáctica ¿QUÉ ES?	Argumentar, presentar opiniones, defenderlas rebatirlas, convencer, persuadir o hacer creer algo ¿QUÉ OPINA?	Instruir, informar sobre pasos que hay que seguir, dirigir, ordenar, aconsejar ¿CÓMO SE HACE o SE HA DE HACER?
Estructura	Ordenación espacial	Ordenación temporal	Organización lógica y jerárquica de ideas (intr., desarrollo y conclusión)	Organización en argumentos y subargumentos (introducción, cuerpo argumentativo, conclusión)	Ordenación de las acciones
Características lingüísticas	Predominio de la estructura verbal atributiva (*ser, estar y parecer*) Abundancia de caracterizadores (adjetivos, oraciones de relativo…) Predominio del tiempo verbal imperfecto Conectores espaciales	Predominio verbos de acción Alternancia tiempos verbales: pretérito perfecto o simple (1.er plano de la narración: acontecimientos, acciones); imperfecto y pluscuamperfecto (2.º pl.: descripciones y comentarios). Conectores temporales	Nominalizaciones, aposiciones Predominio presente y 3.ª p. Conectores lógicos/de orden Reformulaciones parafrásticas (introducidas por conectores de reformulación: *es decir, esto es…*) Ejemplificaciones (introducidas por conectores de ejemplificación: *por ejemplo…*)	Frases largas con abundante subordinación Conectores lógicos y de orden Verbos en 1.ª persona Verbos del tipo *decir, creer, pensar, opinar…*	Formas verbales con valor de obligación o recomendación: presente de imperativo, perífrasis de obligación, futuro, presente indicativo. Predominio de conectores de orden u otros indicadores (numerales, guiones, etc.)
Otros	Figuras retóricas, comparaciones, metáforas…	Puntos de vista de la narración	Ejemplificaciones, citas, ilustraciones, numeraciones, títulos y subtítulos, mayúsculas, negritas, cursivas… En el oral, formal: repetición. Reducción y amplificación de textos (síntesis/análisis)	Oral: entonación Citas Preguntas retóricas	Ilustraciones Orden, concisión, precisión
Géneros discursivos	Retratos, caricaturas, publicidad, catálogos, guías turísticas, comerciales, descripciones literarias (personas, personajes, espacios, ambientes…)	Noticia, crónica, novela, cuento, cómic, films…	Folletos explicativos, conferencias, artículos científicos, textos de ámbito académico: libros de texto, exámenes, apuntes, exposiciones, esquemas…	Ensayo, cartas al director, editoriales, artículos de opinión, oratoria judicial y política, sermones, publicidad, debates, mesas redondas…	Recetas de cocina, instrucciones para el manejo de un aparato, normas de presentación de trabajos…

Tabla 1. Caracterización de las secuencias textuales
Fuente: adaptada de Werlich (1975) y Adam (1985)

Ámbitos	Caracterización	Géneros orales	Géneros escritos
Ámbito personal	Textos para uno mismo, que no leerá o escuchará nadie más. Temas generales, con lenguaje coloquial, muy libres	Monólogos, autograbaciones, notas de voz...	Diario personal, anotaciones, agenda, comentarios en lecturas, cuentas, apuntes, etc.
Ámbito familiar y de amistades	Textos del círculo familiar e íntimo. Temas generales, con lenguaje medianamente coloquial o poco formal	Conversaciones, diálogos, recitación de poemas, parlamentos breves en celebraciones sociales, llamadas telefónicas o videollamadas...	Chats o posts en redes sociales, cartas o correos electrónicos informales, postales, invitaciones, felicitaciones, participaciones, dedicatorias, etc.
Ámbito académico	Textos de la escuela y de las actividades de formación. Temas y lenguajes variados, con tendencia a la especialización y la formalidad.	Exposiciones, exámenes orales, entrevistas, diálogos, conferencias, lectura en voz alta, etc.	Redacciones, exámenes, resúmenes, recensiones, reseñas, esquemas, trabajos, porfolios, murales, comentarios de texto, fichas, etc.
Ámbito laboral	Textos del mundo del trabajo. Temas especializados, con lenguaje específico y formal.	Exposiciones, entrevistas, parlamentos breves, conversaciones telefónicas, videoconferencias, etc.	Informes, cartas formales, currículos, notas, memorias, etc.
Ámbito social	Textos públicos, para audiencias numerosas y heterogéneas, transmitidos en medios de comunicación de masas.	Intervenciones o anuncios en la radio y la televisión, parlamentos en público, reuniones, debates, intervenciones en actos públicos, etc.	Anuncios, cartas en la prensa, artículos en revistas, notas públicas, avisos, etc.
Ámbito gregario	Relaciones con organizaciones públicas y privadas (administraciones, colegios, asociaciones). Temas generales o específicos, con lenguajes especializados (comercial, administrativo, etc.)	Bandos orales, declaraciones.	Instancias, currículos, formularios, solicitudes, bandos, leyes, reglamentos, etc.
Ámbito literario	Ámbito del ocio, con finalidades lúdicas. Temas y lenguaje variados.	Cuentos y poemas de tradición oral popular, chistes, películas, teatro, canciones, etc.	Géneros tradicionales de la literatura (poesía, novela, etc.), historietas...

Tabla 2. Textos según el ámbito de uso
Fuente: adaptada de Cassany, Luna y Sanz (1994, pp. 333-334)

Pero los géneros discursivos intentan responder a la diversidad de realidades que influyen en el uso de la lengua: además de los ámbitos sociales, hay que considerar las diversas funciones, actos de habla, eventos lingüísticos, etc. Por un lado, debemos partir de que los actos de habla pueden surgir de motivaciones muy diferentes; por otro, cabe considerar las distintas convenciones según el ámbito de uso (coloquial, periodístico, jurídico, institucional, académico…). Así, el contexto determina aspectos que Hymes resumió en el acróstico SPEAKING (*Setting, Participants, End, Acts, Key, Instrumentalities, Norms, Genres*).

Los géneros discursivos

Los géneros discursivos son los *formatos convencionales* mediante los que usamos el lenguaje, cuya estandarización o aceptabilidad se ha ido construyendo socioculturalmente en las distintas áreas de la actividad humana. Se los designa como géneros porque los textos o discursos pertenecientes a ellos presentan características generales o comunes, y como discursivos porque son expresiones lingüísticas que surgen en situaciones de comunicación real. Toda comunicación se vehicula a través de un género u otro. Así pues, cada género discursivo es una forma de discurso estereotipada, reconocible y compartida por los usuarios.

Como emisores, cada vez que nos expresamos, sea oralmente o por escrito, lo hacemos a través de géneros discursivos concretos, y seguimos sus reglas si queremos que reflejen nuestro propósito comunicativo de la manera más eficaz posible: para que nos quiten una multa por una causa bien justificada será más efectivo pedirlo mediante una solicitud al ayuntamiento que mediante una carta personal al alcalde o un artículo en el periódico, por ejemplo. Cuando no se domina el género, se abren varias posibilidades: que renunciemos a él —nadie nos obliga a escribir tesis doctorales o guiones de películas de ciencia ficción—; que nos creamos que no son necesarias las convenciones —y hagamos el ridículo en la boda de nuestra prima leyendo un seudopoema trasnochado de nuestra autoría con el que osamos atentar contra la lírica—; finalmente, para situaciones apremiantes de las que no nos podemos escabullir, recurrimos a ayuda externa: si he de defenderme en un juicio me asignarán un abogado o abogada; si he de de formalizar un contrato de compraventa, o redactar mi testamento y no sé hacerlo, buscaré una notaría; y si he de reclamar el ingreso indebido de un impuesto, antes que intentarlo por mi cuenta, puedo acudir a un bufete y tener más opciones de que no me lo denieguen.

Como receptores, reconocemos los géneros discursivos por su apariencia externa, así como por el contexto en el que los encontramos. La precisa identificación de un género por parte del destinatario optimiza la comunicación porque le ayuda a alcanzar una comprensión más rápida y eficaz de la mayor o menor complejidad del mensaje y sus implicaciones. Por ejemplo, si a simple vista sabemos que lo que hay encima de la mesa de la cocina es una receta, una lista de la compra o una carta de despedida, sabremos, antes casi de leerlas, si nuestra pareja se ha ido para siempre o si simplemente nos sugiere que colaboremos en el guiso de mediodía o en el avituallamiento del mes.

A diferencia de las tipologías textuales, que configuran una lista descriptiva más o menos cerrada y estable, y que nos ayudan a grandes rasgos a detectar e interpretar intenciones comunicativas generales —describir, narrar, argumentar...—, los géneros discursivos son dinámicos e ilimitados, precisamente porque responden a las necesidades comunicativas concretas de los distintos ámbitos, y estos dependen de la evolución de las sociedades, así como también se manifiestan mediante vías de comunicación que les van proporcionando nuevo aspecto: un lector del siglo XIX no reconocería a simple vista una novela solo por ver la primera página en la pantalla de un *ebook*, siendo que el género, en sus características esenciales, es el mismo; de la misma manera que tampoco podría comprender fácilmente géneros como el correo electrónico, el post de un blog o un breve tuit, con enlaces incluidos, no solo porque no existían hasta hace unas décadas, sino porque tampoco sabría cómo interpretar ciertos códigos estereotipados que nosotros tenemos automatizados. Así, si recibimos un wasap que dice simplemente «https://clubdemalasmadres.com/», no entenderemos que nos están insultando —y faltando, de paso, a las reglas de separación de palabras—, sino que los usos sociales nos han habituado a interpretar pragmáticamente que la intención de quien nos lo envía es que pinchemos y leamos alguna entrada de esa web, que supuestamente le ha interesado y por eso comparte.

Cada género discursivo se caracteriza, pues, por unos rasgos muy concretos, y esta es otra diferencia con la clasificación desde el punto de vista de la tipología textual, que se fija en categorías internas de carácter lingüístico e informacional. Desde el punto de vista del aprendizaje lingüístico, una persona avanza en el dominio de la lengua en la medida en que aprende a componer mayor diversidad de géneros, y en la medida en que sus textos orales o escritos respetan cada vez más las convenciones establecidas para cada uno de ellos. Pero las clasificaciones no están reñidas, no se trata de posicionarse en una perspectiva u otra, sino de entender que cada género concreto incluye prototípicamente determinadas secuencias textuales —narrativas y descriptivas, los informes; expositivas y argumentativas, los debates, los artículos de opinión y los ensayos; etc.—, y que conocer sus características también nos ayudará a ser cada vez más competentes.

En la medida en que son «preconstructos» (Bajtín, 1952-1953, p. 248) o formas textuales disponibles en un determinado contexto histórico-cultural para satisfacer las necesidades de comunicación de los individuos en situaciones reconocibles, los géneros discursivos vienen determinados por el ámbito de uso al que pertenece cada uno, el tipo de función que desempeñan, la relación que suponen entre los interlocutores, los temas que seleccionan... Todos estos factores caracterizan a cada género, por lo que los textos que engloba van a presentar características formales comunes:

- ❖ Paratextuales: títulos, encabezados, índices, ilustraciones, etc.
- ❖ Textuales: estructura, relación entre las partes...
- ❖ Lingüísticas: registro. Según Gregory y Carroll (1982, pp. 27-63), el registro queda condicionado por los siguientes factores:
  - o El tema del discurso (general / especializado)
  - o La intención (objetividad / expresividad)
  - o El grado de formalidad (relación entre participantes)
  - o El canal (espontaneidad / planificación)

Como implicaciones educativas de esta teorización, el profesorado de lengua no ha de perder de vista que el primer paso para la comprensión de un texto es la identificación del género al que pertenece, dado que permite la anticipación de factores fundamentales como la función y el tipo de contenidos esperables.

Esa lista abierta y dinámica de géneros discursivos, lejos de ser un cajón de sastre, se presta a ser agrupada por categorías y subcategorías; por ejemplo, una clasificación operativa es la que los categoriza según los ámbitos de uso que hemos visto arriba.

Dentro de las clasificaciones de los géneros discursivos encontramos la llamada tipología contextual, utilizada por Jean-Paul Bronckart (1985) y especialmente por Josep Maria Castellà (1996). Se trata de una clasificación de tipo abierto, que consta de dos partes: en primer lugar, un inventario de géneros según su ámbito de aparición y, en segundo lugar, una lista de rasgos que permiten caracterizarlos.

Ámbitos	Géneros
Cotidiano	notas, cartas informales, postales, invitaciones, conversaciones...
Medios de comunicación	radio, TV (noticiario, entrevista, concurso, etc.), prensa escrita (noticia, crónica, reportaje, columna...), etc.
Académico y científico	libro de texto, examen, apuntes, trabajo, resumen, ficha bibliográfica, recensión, artículo, tesis, comunicación, ponencia, etc.
Turismo	guía de viaje, itinerario, instrucciones, revista de ofertas, anuncio...
Ocio	cine (largometraje, cortometraje, sinopsis, ficha técnica, crítica cinematográfica, etc.), teatro (libreto, crítica, etc.), narrativa (novela, cuento, biografía, memorias, etc.), poesía, canción, ópera (libreto, crítica...), etc.
Cultural asociativo	intervenciones en asambleas, escritos en boletines, actas de reuniones...
Político	mitin electoral, programa de partido, etc.
Religioso	misa, homilía, géneros bíblicos...
Jurídico	ley, decreto, orden, sentencia, resolución, etc.
Administrativo	instancia, formulario, carta formal, oficio, expediente, currículum, informe, nota interior, acta de reunión...
Comercial	carta, pedido, albarán, recibo, libro de contabilidad, informe, circular, nota interior, acta de reunión, etc.

Tabla 3. Géneros discursivos según su ámbito de uso

Respecto a la primera, el Marco Común Europeo de Referencia para las Lenguas (MCERL, MCER o CEFR, por sus siglas en inglés) (Consejo de Europa, 2001) establece cuatro ámbitos de uso que resultan funcionales para la enseñanza de lenguas: el personal, el público, el profesional y el educativo. Sin embargo, en realidad, podemos aceptar clasificaciones más específicas y distinguir muchos más. Por ejemplo, los recogidos en la tabla 3.

En segundo lugar, se establece una lista de rasgos tipológicos contextuales. Para determinar qué tipos de rasgos son más comunes en cada género se parte de textos reales, cuyo análisis da cuenta de sus características constitutivas, algo más útil para el aprendizaje de la composición textual que simplemente aprender categorías. Así pues, los principales rasgos tipológicos contextuales podrían quedar agrupados en cuatro grandes ejes (tabla 4).

Las ventajas de la propuesta de clasificación de las tipologías contextuales tienen que ver con la libertad de etiquetas categorizadoras, además de que permiten analizar los textos desde perspectivas muy variadas.

Eje	Rasgos
Relativos al tema o contenido referencial	**General / específico** – lenguaje simbólico, científico, técnico, profesional o corriente.
Relativos al modo o canal	**Temporal / lógico** – según la ordenación basada en el tiempo o en la lógica de los referentes.
Relativos a la relación entre los interlocutores	**Oral / escrito** – con posibilidades diversas: escrito para ser leído, lectura en voz alta, oral con guion, etc.
	Espontáneo / preparado – con diferentes grados de espontaneidad.
Relativos al tema o contenido referencial	**Informal / formal** – solemne, formal, familiar y vulgar.
Relativos al modo o canal	**Monologado / dialogado** – con una gradación compleja, según la libertad de sucesión en los turnos de habla (conferencia, mesa redonda, debate, conversación, etc.).
	Descriptivo – informa sobre estados (describe).
	Narrativo – informa sobre hechos y acciones (narra).
Relativos a la relación entre los interlocutores	**Expositivo** – informa sobre conceptos (expone).
	Argumentativo – expresa opiniones, quiere convencer, etc. (argumenta).
	Directivo – indica cómo se ha de hacer una cosa (ordena, aconseja).
	Retórico – juega con el lenguaje para crear belleza, provocar humor, conmover, etc.
Relativos al tema o contenido referencial	**General / específico** – lenguaje simbólico, científico, técnico, profesional o corriente.
	Temporal / lógico – según la ordenación basada en el tiempo o en la lógica de los referentes.
	Oral / escrito – con posibilidades diversas: escrito para ser leído, lectura en voz alta, oral con guion, etc.

Tabla 4. Rasgos tipológicos contextuales

El Real Decreto 1105/2014, derivado de la Ley Orgánica 8/2013, de 9 de diciembre, para la Mejora de la Calidad Educativa (LOMCE) —y previsiblemente también lo hará el currículo mínimo que se decrete a partir de la Ley Orgánica 3/2020, de 29 de diciembre, por la que se Modifica la Ley Orgánica 2/2006, de 3 de mayo, de

Educación (LOMLOE)—, resalta como objetivo de aprendizaje la adquisición de mecanismos que permitan diferenciar y producir diferentes géneros discursivos, y para ello resulta fundamental adquirir estrategias de lectura y de redacción (Boillos 2017; Rodríguez, 2009; Uribe, Camargo y Zambrano-Valencia, 2017). Entre ellos, el ensayo —y, en concreto, el miniensayo (Zambrano-Valencia, Caro y Parra, 2019)— es uno de los géneros con más frecuencia requeridos en institutos y universidades, de ahí la importancia de su adecuada enseñanza (Núñez Cortés y Saneleuterio, 2021), incluyendo el papel de los marcadores discursivos en la eficacia comunicativa (Núñez Cortés, Martín Muñoz y Cano Fernández, 2018).

El texto como producto de la comunicación verbal

> Texto es la unidad lingüística comunicativa fundamental, producto de la actividad verbal humana, que posee siempre carácter social; está caracterizado por su cierre semántico y comunicativo, así como por su coherencia profunda y superficial, debida a la intención (comunicativa) del hablante de crear un texto íntegro, y a su estructuración mediante dos conjuntos de reglas: las propias del nivel textual y las del sistema de la lengua (Bernárdez, 1982, p. 85).

A grandes rasgos, entendemos por texto cualquier manifestación verbal y completa que se produce en una comunicación. Sin embargo, si nos fijamos en la citada definición de Enrique Bernárdez (1982, p. 85), vemos que además se destacan tres ideas fundamentales sobre el texto, las cuales resumen las definiciones que han aportado otros autores:

- ✧ Carácter comunicativo: todo texto es una emisión verbal, oral o escrita, que pretende cumplir un propósito comunicativo.
- ✧ Carácter pragmático: los textos se insertan en una situación determinada, con interlocutores, objetivos y referencias constantes al mundo circundante. No tienen sentido —o no exactamente el mismo— desvinculados de la intención con que se emiten o fuera de ese contexto extralingüístico.
- ✧ Estructura: los textos presentan una organización a varios niveles, que incluye el orden adecuado de las ideas para la progresión de la información, reglas gramaticales, puntuación, coherencia, y todos los elementos que garantizan que se entiende el significado del texto.

Así pues, el mensaje que se transmite en la comunicación verbal es siembre un texto, un discurso concreto. Consecuentemente, se considera el texto como «unidad lingüística básica, que se manifiesta en la superficie como discurso» (Halliday, 1978, p. 94), y que, por tanto, no puede ser descrito mediante las gramáticas de oraciones, sino que observa normas que trascienden la gramaticalidad de la oración. Estas normas de textualidad atienden diversos aspectos del texto. Así, a las referidas al texto y al usuario, pueden sumarse las que regulan en texto en su globalidad (Beaugrande y Dressler, 1981, pp. 33-48):

- ✧ Centradas en el texto: cohesión, coherencia.
- ✧ Centradas en el usuario: intencionalidad, aceptabilidad, informatividad, situacionalidad, intertextualidad.

✧ Principios reguladores de la constitución y el uso de textos: eficacia, efectividad, adecuación.

Según Cassany (1999), estos aspectos sirven tanto para el texto oral como para el escrito, teniendo en cuenta sus diferencias fundamentales —no determinantes, pero sí prototípicas—. Para el texto oral:

✧ mayor variación temática;
✧ información más redundante;
✧ mayor presencia de deícticos y elipsis;
✧ oraciones inconclusas;
✧ bajo grado de gramaticalidad;
✧ ordenación más libre;
✧ registros menos formales;
✧ información implícita mediante códigos no verbales (gestos, mirada, movimiento) o paraverbales (tono, silencio, ritmo...).

Para el texto escrito:

✧ mensajes monotemáticos;
✧ más cohesionados por procedimientos gramaticales;
✧ oraciones completas con menos elipsis;
✧ ordenación y mayor grado de gramaticalidad;
✧ registro más formal y despersonalizado.

Así, el discurso oral formal tiene rasgos que lo acercan al escrito, por la necesidad de planificación y de utilizar un léxico preciso, entre otros factores (Castellà y Vilà, 2005; Vilà y Castellà, 2014) que impiden que sea aprendido espontáneamente, como sí ocurre con la lengua oral informal. Por ello, necesita ser enseñado en la escuela, a pesar de que a menudo se olvida que así está previsto en los currículos oficiales (Ballesteros y Palou, 2005).

Las propiedades textuales

Un buen texto posee unas propiedades fundamentales que le facilitan cumplir su propósito comunicativo con éxito. Por tanto, todo hablante debería observarlas en la emisión de sus mensajes para que estos sean considerados propiamente textos y sean eficaces en su proceso de comunicación.

Para Cassany, Luna y Sanz (1994), las propiedades textuales son cinco: la adecuación, la coherencia, la gramática o corrección, la presentación y la estilística. Sin embargo, las podemos resumir en las tres más conocidas, entendiendo que a las dos primeras citadas se sumaría la cohesión, que incluye cuestiones de corrección gramatical, pero también de encaje textual, mientras que el resto serían aspectos de la adecuación, incluidos ciertos aspectos ortografía y precisión léxica.

El propio Cassany, en su libro *Construir la escritura*, las reagrupa de otra manera: coherencia, cohesión, adecuación, corrección y repertorio o estilística. Y además puntualiza que «carece de sentido considerar que los textos tienen *propiedades* inmanentes de *coherencia, cohesión* o *adecuación,* cuando estos hechos se manifiestan a través de procesos dinámicos y abiertos de (des)codificación» (1999, p. 32).

Es verdad que las cuestiones que abarcan las supuestas propiedades textuales no tienen fronteras claramente delimitadas, pero a grandes rasgos podemos afirmar que la adecuación conecta el texto con su contexto, la coherencia alude a la distribución del contenido a nivel semántico, mientras que la cohesión hace referencia a los enlaces intra- e interoracionales. Como las propuestas no son en absoluto unánimes en este campo, se mantiene a continuación esta distribución tripartita, por ser la más generalizada. Y añadimos los aspectos de corrección y estilo como transversales a ellas. Veámoslo más detenidamente.

Adecuación. Se trata de la adaptación del texto a la situación de comunicación, es decir, tiene que ver con las relaciones entre el texto y el contexto: el tema tratado, la finalidad comunicativa y las características de quien recibirá el mensaje. Es la propiedad textual que determina la selección de una variedad u otra dentro de cada tipo: el dialecto —variedad geográfica o diatópica—, la variedad social o diastrática —jergas, lenguajes técnicos o especializados— y, sobre todo, el registro —variedad funcional, situacional o diafásica—, pues se requiere un uso coloquial o culto, según sea el más apropiado a la situación comunicativa: formal o informal, tema general o específico, tratamiento objetivo o subjetivo, etc.

De cara a la evaluación o revisión de los textos escritos de los estudiantes, pueden tenerse en cuenta recomendaciones de diversos autores. Cassany (1993), por ejemplo, establece los siguientes criterios para evaluar la adecuación:

- ✧ presentación limpia y ordenada (alineación, caligrafía, márgenes, apartados);
- ✧ registro apropiado al tema: formal o informal;
- ✧ fórmulas de cortesía adecuadas al destinatario (tú/usted…);
- ✧ propósito comprensible, claridad de los objetivos principales.

Coherencia. Hace referencia al procesamiento de la información y requiere: la ordenación y estructuración lógica de los diferentes elementos que debemos organizar en un texto para transmitir un sentido concreto que resulte comprensible. Esta estructura dependerá de los conocimientos previos atribuidos al receptor y de la intención comunicativa del emisor, pues implica seleccionar solo la información relevante, en el orden apropiado, y evitar las redundancias.

Cassany (1993) propone fijarse en tres aspectos para evaluar o revisar la coherencia de un texto:

- ✧ exceso o defecto de información;
- ✧ orden lógico en la estructuración de las ideas;
- ✧ división coherente de los párrafos.

Cohesión. Es la capacidad del texto para establecer conexiones entre sus formantes —palabras, sintagmas, oraciones, párrafos— mediante diferentes elementos de forma y sentido, de manera que se asegure la comprensión puntual y global. La cohesión gramatical hace referencia a los aspectos formales, es decir, a articulaciones morfosintácticas del texto. Igual que los sintagmas de una oración deben estar conectados, las diversas oraciones no son unidades aisladas en un párrafo, ni los párrafos deben quedar inconexos, sino que deben estar ligados por diferentes elementos: marcadores discursivos, puntuación, conjunciones, anáforas, pronombres, sinónimos...

Siguiendo la propuesta de Cassany (1993), un texto bien cohesionado presenta los siguientes rasgos:

✧ presencia o ausencia de errores graves de puntuación;

✧ conectores y marcadores del discurso bien empleados;

✧ orden lógico de los elementos de la frase.

Asimismo, en 1993 el propio Cassany incluía la corrección gramatical y ortográfica dentro de esta propiedad, si bien en obras posteriores decide individualizarlas, por considerar que trascienden las cuestiones de cohesión textual.

Corrección y estilo. La propiedad de corrección textual es transversal a las demás y se refiere al grado de respeto de la norma lingüística vigente en una comunidad y establecida por las academias responsables de regularla, según el uso culto de sus hablantes. Dicha corrección a la que alude Cassany (1999) y que afecta a todos los niveles discursivos —fónico y ortográfico, morfosintáctico y léxico— tiene que ver con las otras tres propiedades textuales, principalmente con la adecuación, pues en función del contexto se permiten ciertas licencias o descuidos en cada uno de estos aspectos, o por el contrario se exige mayor observancia de la norma lingüística: pronunciación estándar, reglas de ortografía, concordancia... Además de con la adecuación, muchas cuestiones de morfología y sintaxis tienen que ver con la cohesión intraoracional. En el caso del léxico, si bien las imprecisiones pueden estar relacionadas con la falta de adecuación, las impropiedades se acercan más a los problemas de coherencia.

De la misma manera, el repertorio o estilística —al referirse a la utilización de los recursos retóricos y rasgos expresivos más adecuados según el contexto, la intención, etc.— responde a la propiedad de adecuación textual, pero implica a las otras dos. Entre los aspectos que caracterizan el estilo, que a veces es muy personal en cada autor o autora, se encuentran los siguientes:

✧ Léxicos: riqueza y variación en la selección del vocabulario y preferencia por ciertos modismos o vocablos.

✧ Sintácticos: diversidad y grado de complejidad oracional (yuxtaposición, incisos largos, etc.).

✧ De puntuación: preferencia por signos poco frecuentes, tendencia a poner más o menos comas...

✧ Tipográficos: uso adecuado y coherente de comillas, cursivas, negritas, dentro de las preferencias y estilos personales.

✧ Retóricos: alusiones literarias, preguntas retóricas, construcción de metáforas, hipérboles, antítesis...

✧ De edición o presentación: uso de tamaños y fuentes adecuados, selección de interlineados y sangrías, distribución de los elementos en la página...

Como se ha adelantado, en los criterios para revisar y corregir la escritura de Daniel Cassany (1993), anteriores a las obras arriba comentadas, vemos que en efecto incluye la corrección en la cohesión, si bien ya singularizaba la estilística, llamada *variedad* en esta ocasión, y cuyos criterios propuestos son:

✧ riqueza y precisión léxica;

✧ complejidad y dinamismo sintáctico;

✧ variedad de conectores y recursos expresivos.

Fases de producción textual

La producción textual es un proceso complejo que ha sido estudiado por numerosos especialistas (Flower y Hayes, 1980; 1981; Ferreiro y Gómez, 1982; Ferreiro, 2001; Fons, 1999). Las estrategias cognitivas y metacognitivas que se ponen en marcha a la hora de componer un texto pueden ser divididas en varias fases, que básicamente corresponden a las de planificar, redactar y revisar. No obstante, estos subprocesos no deben entenderse como lineales, sino que un escritor o escritora con experiencia recurre a ellos varias veces durante el proceso de composición. Es decir, se trata de actividades recurrentes: planificamos qué queremos decir y lo escribimos, pero con la revisión puede que consideremos necesario o conveniente modificar alguna parte, la cual puede requerir o no una nueva planificación. Y así sucesivamente. Se suele decir que un texto no está nunca acabado, sino que lo damos por terminado en un momento dado.

Son especialmente relevantes para la enseñanza de la escritura las fases de planificar y revisar, precisamente porque con frecuencia quedan relegadas al olvido. La planificación supone, para Flower y Hayes (1980; 1981), un conjunto de operaciones que requieren tomar información del contexto y de nuestra memoria y permiten establecer objetivos, generar ideas y organizarlas. Isabel Ríos (2000) insiste en la importancia del control metacognitivo de este subproceso, para el que el alumnado debe aprender a desarrollar progresivamente su autonomía en la recuperación y selección de los conocimientos que ya se tienen o que se hayan obtenido expresamente para la tarea. Todo ello aumenta la calidad de las producciones y evidencia muchos errores evitables. Para ello, son útiles los esquemas previos o anotaciones personales, pero también las reflexiones y conversaciones orales que se deberían generar en el aula acerca de lo que se escribirá, tales como planes de procedimiento —cómo plantear la tarea—, planes de contenido —qué información necesitamos— y planes de composición —cómo queremos la textualización—.

El grupo Didactext, de la Universidad Complutense de Madrid, ha ido añadiendo algunas fases, especialmente funcionales en los textos que se producen en el ámbito académico cuyo objetivo final puede ser, por ejemplo, defender una investigación realizada individual o colectivamente. El modelo Didactext sirve tanto para textos de gran calado —tesis doctorales o ensayos científicos— como para pequeños trabajos de clase que se exponen ante los compañeros y compañeras. Así pues, primero se disgregaron las actividades de acceso al conocimiento —lecturas que nos acercan al texto y selección de información— de la fase de planificación propiamente textual (Álvarez Angulo, 2005). Con posterioridad, se fueron agregando las fases de preparación de la presentación oral y defensa del tema, si bien es cierto que estas podrían constituir en sí mismas un segundo texto —oral— con un género discursivo diferente al texto en el que se basa —el trabajo escrito—.

La competencia comunicativa y sus componentes

Si integramos en los centros de primaria y secundaria la formación orientada al desarrollo de competencias, hemos de partir del hecho de que estas presentan tres rasgos fundamentales:

- ✧ integran conocimientos, destrezas, actitudes y estrategias;
- ✧ son dinámicas y se desarrollan mediante procesos que activan los saberes y permiten que estos se apliquen;
- ✧ implican una actuación de modo eficiente en un contexto determinado para resolver un problema o llevar a cabo una actividad.

En un lenguaje llano, se suele decir que ser competente en algo es saber qué hacer con lo que se sabe —o propiamente saber cómo ser o cómo aprender (tabla 5)—.

Saber	Saber hacer
Conocimiento declarativo Conocimiento del mundo Conocimiento sociocultural Conciencia intercultural	Destrezas y habilidades Prácticas sociales y profesionales Prácticas interculturales: relación entre culturas, sensibilidad cultural…
Saber ser	**Saber aprender**
Competencia existencial Valores, motivaciones, actitudes, creencias, estilos cognitivos, factores de personalidad	Capacidad de aprender a aprender Observar y participar en el aprendizaje Reflexiones sobre la lengua y la comunicación Destrezas de estudio

Tabla 5. Dimensiones de la competencia

La competencia comunicativa integra la capacidad lingüística y la extralingüística de adecuar un texto a una determinada comunidad de habla. Para ello, se debe ser capaz de combinar e interpretar mensajes y negociar significados; conocer las reglas gramaticales y de uso, teniendo en cuenta aspectos pragmáticos y socioculturales, de manera que se sea capaz de manejar las estructuras de lengua, tanto para la comunicación más o menos unidireccional como para la interacción, es decir, generar y comprender expresiones lingüísticas y extralingüísticas. Esto implica la suma integrada de conocimiento más estrategias de interacción social. En definitiva, ser comunicativamente competente es, como dice Hymes (1971), saber qué decir, a quién, cómo, cuándo, etc.

Así, la clásica disyuntiva entre competencia y actuación se soluciona en ese momento con el concepto de competencia comunicativa. Gumperz y Hymes (1972) la definen como «aquello que un hablante necesita saber para comunicarse de manera eficaz en contextos socialmente significantes» (p. vii).

Consecuentemente, toda educación que busque el desarrollo de la competencia en comunicación lingüística debe comprender habilidades lingüístico-comunicativas en relación con usos orales y escritos que incluyan el uso de tecnologías de la información y la comunicación (TIC), dado que hace tiempo que forman parte de los contextos naturales donde la comunicación actual tiene lugar. Para desarrollar estas habilidades de manera óptima se requiere la reflexión metalingüística y metacomunicativa sobre cada uno de los componentes de la competencia comunicativa (lingüística, sociolingüística y pragmática).

En los años 80, Canale (1983) dividió en cuatro los componentes de la competencia comunicativa. Se basaba en la revisión de la clasificación que él mismo había publicado tres años antes (Canale y Swain, 1980), llegando a definirlos como muestra la tabla 6.

Subcompetencia	Capacita para...
Competencia discursiva	Captar las intenciones, las actitudes y la adecuación de las formas lingüísticas utilizadas.
	Adecuar el discurso al contexto social.
Competencia textual	Integrar los significados en ideas globales.
	Relacionar las ideas siguiendo las marcas de cohesión o infiriendo las conexiones.
	Articular los textos de acuerdo con los esquemas organizativos propios del género.
Competencia lingüística	Identificar las palabras y sus significados.
	Seleccionar las formas lingüísticas requeridas de entre las posibilidades que ofrece el código.
	Usar correctamente el código escrito.
Competencia estratégica	Usar consciente y reflexivamente los conocimientos y destrezas para lograr una comunicación eficaz.
	Encontrar y saber aplicar recursos para resolver problemas.

Tabla 6. Componentes de la competencia comunicativa según Canale (1983)

Con posterioridad, se han seguido realizando muchas propuestas alternativas, de autoría muy diversa. Si nos remontamos a la propuesta más generalizada, la del mencionado Marco Común Europeo de Referencia para las Lenguas (MCERL) (Consejo de Europa, 2001), los componentes de la competencia comunicativa se pueden redistribuir en tres grandes bloques, los cuales, a grandes rasgos, se refieren a las siguientes capacidades:

Lingüística

⋄ Capacidad para producir enunciados en una lengua.

⋄ Capacidad para generar oraciones correctas mediante el empleo de mecanismos gramaticales —competencia gramatical (Chomsky, 1957)—.

⋄ Importancia de la actuación (*performance*), que sería el uso real de la lengua en situaciones concretas.

Sociolingüística

⋄ Capacidad de las personas para comprender o producir enunciados en un contexto de uso.

⋄ Influencia de factores extralingüísticos: edad, profesión, etc.

⋄ Según el MCERL, «comprende el conocimiento y las destrezas necesarias para abordar la dimensión social del uso de la lengua» (Consejo de Europa, 2001).

Pragmática

⋄ Capacidad para usar la lengua teniendo en cuenta las relaciones, tanto del sistema de la lengua, como entre los interlocutores o las que dependen del contexto.

Las competencias lingüística, sociolingüística y pragmática son subdivididas a su vez en competencias más específicas, en relación con las cuales el citado documento describía las habilidades esperables en cada nivel de dominio de la lengua —básico (A1, A2), independiente (B1, B2) y competente (C1, C2)—. Así pues, dentro de la competencia lingüística se incluía la léxica, gramatical, semántica, fonológica, ortográfica y ortoépica; para la competencia sociolingüística se hablaba de la capacidad de adecuarse a las condiciones sociales y culturales de uso: marcadores sociales, normas de cortesía, fraseología, diferenciación de registros y dialectos...; mientras que la competencia pragmática se reservaba a las funciones comunicativas y la competencia discursiva, es decir, la capacidad de organizar y estructurar el discurso.

Hoy en día, si nos atenemos a la revisión que el propio Consejo de Europa realizó del MCERL (Consejo de Europa, 2018), sugerida por la labor de especialistas que publicaron estudios acerca de la conveniencia de realizar determinados ajustes, observamos que esta distribución cambia un poco. Entre las principales novedades del reciente marco, se han añadido niveles y descriptores para precisar el *continuum* —Pre-A1, A2+, B1+, B2+ y Above C2—, aunque se parte de que la competencia en cualquier área es como un arcoíris: no hay límites entre colores, aunque el ojo humano tiende a establecerlos. Asimismo, los descriptores tienen en cuenta las nuevas formas de comunicación que han arraigado en la sociedad y en las cuales también se es más o menos proficiente según en qué lengua; por ejemplo, como añadido, se han descrito las competencias en interacción *online*. Además, se evitan algunos términos polémicos, como «habla nativa», que no tiene por qué ser el referente generalizado en la enseñanza de una lengua.

En consecuencia, los componentes de la competencia comunicativa para el lenguaje verbal —otra novedad de este nuevo documento es que incluye una versión para el lenguaje de signos— quedan así distribuidos en el nuevo MCERL (tabla 7):

Competencia lingüística	Competencia sociolingüística	Competencia pragmática
Amplitud general	Adecuación sociolingüística	Flexibilidad
Riqueza de vocabulario		Toma de la palabra e intercambios
Corrección gramatical		Desarrollo temático
Precisión léxica		Coherencia
Dominio de la pronunciación		Precisión proposicional
Dominio de la ortografía		Fluidez oral

Tabla 7. Categorías de la competencia en comunicación
Fuente: adaptada de Consejo de Europa (2018, p. 130)

En realidad, estos descriptores eran muy parecidos en el marco de 2001, pero ahora, además de algún pequeño cambio de orden o de nombre, lo más llamativo es que, en el caso de la competencia lingüística, no se los agrupa en las subcompetencias citadas arriba —léxica, gramatical, semántica, fonológica, ortográfica y ortoépica; de hecho, esta última ni siquiera aparece—: se gana así homogeneidad, al establecerse un paralelismo con la composición de las competencias sociolingüística y pragmática. En todo caso, como se ha podido comprobar, las tres grandes subcompetencias de la comunicación lingüística se mantienen, siendo la aportación mayor la revisión de las escalas que concretan los niveles de cada ítem.

El enfoque comunicativo

Ya hace unas décadas que se inauguró un nuevo paradigma en la enseñanza de la lengua (Lomas, Osoro y Tusón, 1993), que prioriza el desarrollo de la competencia en comunicación lingüística, frente al triunfo anterior de los enfoques estructuralistas, e incluso del generativismo, de los que se nutre, para superarlos. A ellos hay que sumar las aportaciones de la pragmática, la sociolingüística y la gramática cognitiva —que dieron lugar a las teorías de los actos de habla, a las metodologías de la lingüística del texto y del análisis del discurso, etc.—. En efecto, la reflexión sobre la competencia comunicativa y sus componentes ha derivado en una orientación de todo ello hacia un horizonte definido: el desarrollo de las diferentes facetas de esta competencia, desde propuestas áulicas que enfocan preferentemente el trabajo del estudiante desde presupuestos comunicativos (Bronckart, 1993).

Derivado de ello, se entiende que las clases de lengua no solo deben presentar funcionalmente el estudio tradicional de los diferentes niveles lingüísticos —fonológico-ortográfico, morfosintáctico y léxico-semántico—, sino que deben añadir la reflexión sobre los componentes sociolingüísticos y pragmáticos que nos ayudan a ser comunicativamente competentes, como las cuestiones de registro u otros paradigmas de variación de la lengua o determinados factores del contexto discursivo[1]: la recuperación de implicaturas, la teoría de los actos ilocutivos (Austin, 1962), los actos de habla de Searle (1969), el principio de cooperación y las máximas conversacionales de Grice (1975), el concepto de relevancia (Sperber y Wilson, 1986), etc.

Este enfoque comunicativo, que implica estudiar la lengua en uso y para el uso, se hizo presente en los años 90 en los currículos lingüísticos de España, Europa y Latinoamérica: «se insistía en la idea de que el objetivo esencial de la educación lingüística es el aprendizaje escolar de competencias comunicativas (el aprendizaje de un "saber hacer cosas con palabras") y no solo la adquisición —casi siempre efímera— de un cierto saber gramatical sobre la lengua (el aprendizaje de un "saber cosas sobre las palabras")» (Lomas, 2015, p. 9).

El objetivo de enfocar comunicativamente la enseñanza de la lengua es conseguir que el alumnado evolucione en la producción y comprensión de comunicaciones reales. Sus presupuestos se basan en las teorías constructivistas del aprendizaje (Piaget, Vigotsky, Bruner, Aussubel...) y se acompasan con la perspectiva funcional-constructivista de la enseñanza de la lectura y la escritura desde las primeras edades (Fons, 2006; Ribera, 2007). Así, el enfoque funcional o comunicativo implica una serie de requisitos, como son:

- ✧ El uso de consignas y textos «auténticos» en el aula.
- ✧ La creación de situaciones comunicativas reales.
- ✧ La consideración de la lengua simultáneamente como objeto de estudio y como herramienta de comunicación.
- ✧ El acercamiento inductivo a la gramática.
- ✧ El traslado del foco de la oración al discurso.
- ✧ La priorización del significado.
- ✧ La evaluación de la corrección y la fluidez.

Asimismo, entre los recursos para trabajar en esta línea, el profesorado de lenguas debe considerar los siguientes resortes:

- ✧ Actividades de juegos teatrales o de rol (*role playing*).
- ✧ Trabajo mediante proyectos o secuencias didácticas.
- ✧ Uso del libro de texto solo como complemento.
- ✧ Acceso y creación de materiales reales de cada género discursivo: periódicos, revistas, publicaciones en Internet...

---

[1] Según los diversos autores que se han acercado a este concepto, el contexto discursivo puede hacer referencia exclusivamente a las circunstancias espaciotemporales y situacionales —contexto comunicativo— o incluir factores socioculturales y cognitivos —fórmulas de cortesía, intenciones, conocimiento del mundo compartido...—.

Metodologías como la de las secuencias didácticas y el enfoque por tareas o proyectos son formas concretas de diseño del currículo que consiguen despertar aprendizajes lingüístico-comunicativos a través del uso real de la lengua. Las tareas diseñadas para el aprendizaje desde este punto de vista deben ser representativas de procesos de comunicación de la vida real, deben resultar identificables como unidades de actividad en el aula y han de estar dirigidas intencionalmente hacia el aprendizaje de la lengua. Para ello, han de diseñarse con un objetivo, estructura y secuencia de trabajo: el aprendizaje se secuencia en fases, en cuya planificación docente siempre debe preverse una fase previa y un *feedback,* tanto del proceso como posterior.

La lectura y el discurso literario

El debate sobre el canon

Aunque el «problema del canon» se sienta como extremadamente complejo por una pequeña parte de la crítica ideológica contemporánea (Harris, 1991, p. 37), es posible simplificar el estado de la cuestión en favor de la claridad.

El canon es un concepto esencialmente inclusivo: el problema sería la determinación de los grados o categorías que pueda incluir. De hecho, la crítica insiste en la superación de las restricciones implicadas en la etimología de la palabra: en su origen bíblico, el canon tiende al cierre, mientras que en su aplicación a la literatura permite añadir obras nuevas o revaloradas. Como dice Harris (1991): «La analogía es más dramática que útil» (p. 39).

El canon laico, que para Bloom (1994, p. 195) sería el «catálogo de autores aprobados», no comienza hasta el siglo XVIII. La formación del canon se produce no por autoridad, «sino a través de su introducción en un coloquio crítico continuado» (Harris, 1991, p. 41). Se trata de obras que «se han ganado un lugar dentro del discurso cultural de una sociedad de generación en generación»; otros captan la atención solo de manera efímera.

En todo caso, para que esto suceda varios son los factores que entran en juego, los cuales podrían resumirse en este párrafo de Harris (1991):

> las resonancias históricas de un texto (el grado en que se relaciona explícitamente con otros textos), la posible multiplicación de sus significados (el grado de su polivalencia), la habilidad con que es introducido en el coloquio crítico (el grado en que encuentra un patrocinador adecuado) y la congruencia entre sus posibles significados y las preocupaciones actuales de los críticos (el grado en que resulta maleable), todos estos elementos interactúan para determinar cuánto interés puede suscitar un texto y durante cuánto tiempo. (pp. 41-42)

Hasta aquí parece que, para formar parte del canon, la obra candidata haya de contar no solo con calidad literaria y adecuación a los intereses de la época en la que se establecen los criterios de canonicidad, sino también con una ración de suerte o fortuna que la mantengan en boga entre los lectores y lectoras, en las listas de ventas o, sobre todo, en el discurso crítico[2]. Sin embargo, cabe matizar que el concepto de canon en realidad es mucho más amplio que eso. Alastair Fowler (1979) distingue seis tipos de cánones, distinción que cuenta con amplia aceptación:

⋄ Canon potencial: «comprende el corpus escrito en su totalidad, junto a la literatura oral que aún pervive» (1979, p. 97).

⋄ Canon accesible: disponible en un momento dado.

⋄ Canon selectivo: producto de una selección para fines específicos.

⋄ Canon oficial: aceptado por instituciones de prestigio.

⋄ Canon personal: el que cada lector o lectora establece con sus lecturas.

⋄ Canon crítico: determinado por las líneas críticas que se ocupan de las obras que lo forman.

Para Harris existe también un espacio teórico para el canon pedagógico (1991, p. 43). Y añade el diacrónico (1991, p. 44), el canon del día. Pero justamente ese canon pedagógico es del que se suelen ocupar, con las reformulaciones que expondremos, quienes se acercan a las exigencias canónicas desde la literatura infantil y juvenil. Del Amo Sánchez-Fortún (2002, pp. 76-91), en su categorización del canon en didáctica de la literatura, distingue nítidamente entre el canon pedagógico, compuesto por las lecturas escolares, y el canon formativo:

> Aquellos textos literarios cuyos criterios de selección responden no sólo al objetivo de formar lectores competentes, sino también de desarrollar globalmente la personalidad del niño, aportándole experiencias estimulantes que no podría vivir de otro modo y ofreciéndole además modelos para enriquecer el uso de las distintas funciones del lenguaje, requisito *sine qua non* para avanzar en la vida. (Del Amo Sánchez-Fortún, 2002, p. 80)

Es necesario tener la cuestión del canon presente para no mezclar la discusión de qué es literatura infantil y juvenil (LIJ) con la discusión de qué LIJ puede entrar en el canon formativo, así como quién lo decide. Según dice Harris, las listas escolares «suponen un canon no eclesiástico que sí tiene autoridad» (1991, p. 45), pero ¿quién tiene autoridad sobre el canon formativo? ¿Quizás los agentes mediadores en la recepción de la LIJ? Sea como sea, quien selecciona libros para un fin está ya determinando un canon, y si lo hace será por una o diversas funciones; entre ellas, Harris (1991, pp. 50-55) habla de algunas más recurridas:

⋄ Provisión de modelos, ideales e inspiración.

⋄ Transmisión de la herencia del pensamiento.

⋄ Creación de marcos de referencia comunes.

⋄ Intercambio de favores o reconocimientos mutuos.

⋄ Legitimación de la teoría.

---

[2] Bloom (1994) precisamente combate la idea de que la publicidad y propaganda sean los determinantes del canon. Según él, lo importante es la originalidad, por mucho que no les guste a los miembros de lo que denomina «Escuela del Resentimiento», etiqueta que él utiliza para referirse a marxistas, feministas, deconstructivistas, afrocentristas, entre otras.

✦ Historización o iluminación sobre una época.

El canon no es solo, como quiere Bloom (1994, p. 216), «una especie de lista de supervivientes», sino que tiene una funcionalidad que, en el caso de la educación literaria, tiene mucho que ver con el canon pedagógico y formativo. En efecto, como se ha dicho, «los criterios para la selección de textos se derivan no de la autoridad, sino de las funciones elegidas» (Harris, 1991, p. 38):

> Conviene insistir en que la razón por la que el canon literario ha suscitado ataques y defensas es su supuesta conexión con el poder y la ideología dominantes, considerándolo unos, los detractores, como inequívocamente reaccionario, y otros, los defensores, como el núcleo de la cultura occidental, con la que se identifican naciones, tradiciones literarias e individuos. (Sullà, 1998, p. 12)

Aunque no reconozcamos la autoridad del canon, todos habremos de elegir de qué textos hablar o cuáles leer, y ese problema no se puede evitar: «siempre existirán cánones en competencia» (Harris, 1991, p. 59). Mendoza Fillola (2008) distingue, según sus funciones, entre el canon filológico, el canon escolar, el basado exclusivamente en obras de LIJ, el canon de aula y, como combinación de los tres últimos, el canon formativo, pues esta es la función que deben tener las lecturas literarias que se propone al alumnado, la formación lectora y el desarrollo de una «básica competencia literaria».

Y ante esa competición, ante ese mundo de posibilidades, ¿cómo seleccionamos la literatura que leerán nuestros estudiantes? Muchos y muchas especialistas se han dedicado a reflexionar sobre esta cuestión, absolutamente determinante tanto de la educación literaria del alumnado como de su futuro lector. Pueden seguirse para ello las pautas de Teresa Colomer (1999) o los criterios derivados de sus aportaciones, como los del citado Mendoza Fillola (2008), quien apela a criterios estéticos, teóricos y críticos, para lo que cabe considerar, pero no únicamente, la representatividad y repercusión de las obras en la tradición literaria.

Acercamiento a las teorías literarias

La historia de la evolución de las teorías literarias se podría resumir en tres grandes momentos, según se ha puesto el foco en la autoría, en la obra o en el lectorado. Algunas de las teorías más influyentes han pivotado alrededor de los tres ejes mencionados.

Historicismo / Historia literaria

El interés por realizar una historia de la literatura parte del siglo XIX, por influjo del Romanticismo y del paradigma filosófico positivista, con impulsores como Taine, Brunetière, Hennequin, así como el historiador alemán Karl Werner.

El historicismo entiende la literatura como un producto de unas circunstancias tanto biográficas (vida quien escribió una obra dada) como históricas (contexto en el que se produce), por lo que supone el estudio diacrónico de las obras, atendiendo a aspectos formales y temáticos (relacionados con autoría y contexto). Asimismo, se estudia la tradición literaria, siempre enmarcando las obras en géneros y corrientes.

Entre sus rasgos principales encontramos la consideración del valor documental de las obras como documentos de vida, condicionadas espacio-temporalmente, en la medida en que sus autores o autoras son personas insertas en la trama de la historia: su experiencia vital es historia acumulada. Así, las creencias sociales se consideran producto de una elaboración colectiva inconsciente e involuntaria que deben interpretarse en el contexto de la historia

Las principales críticas al historicismo literario las inicia Dragomirescou ya en el siglo XX, a quien siguen todas las escuelas posteriores. Su declive está, pues, relacionado con la aparición del formalismo y las escuelas estructuralistas, quienes consideran que la priorización del contexto va en detrimento de la literariedad de la obra, y se plantean hasta qué punto la literatura no es un hecho factual en sí mismo.

Formalismo (ruso)

Esta corriente surgió en Rusia durante Primera Guerra Mundial, impulsada por Víktor Shklovski, Vladímir Propp y Roman Jakobson, quienes consideran que la peculiaridad de la obra literaria es la forma. De hecho, la teoría parte de que la forma literaria posee contenido en sí misma: fondo y forma son dos realidades conectadas, consideración que implica el rechazo de la dicotomía entre fondo y forma.

La *literariedad* se define como el objeto de estudio de la ciencia literaria, que parte de la diferenciación básica entre la lengua literaria y la lengua cotidiana o común, dado que la primera presenta una función adicional de la que carece la segunda: la función poética (Jakobson).

La literatura se estudia, pues, a partir de sus mecanismos de funcionamiento interno, es decir, obviando factores externos como la autoría o la relación con otras obras u otros sistemas. Al leer se pasa por un proceso de *desautomatización* que obliga a detenerse en esos mecanismos para otorgarles sentido.

El declive del formalismo ruso tiene lugar hacia 1930, principalmente, por las críticas del comunismo soviético a esta postura inmanentista que excluye factores externos de la obra, los cuales pueden resultar decisivos en la interpretación de los textos literarios.

Estética idealista

Surge en Francia a finales del siglo XIX, y se va difundiendo a principios del XX, por parte de teóricos como Karl Vossler, Leo Spitzer (estilística genética o del individuo) o Bally (estilística descriptiva o de la expresión); en la tradición hispánica destacan Dámaso Alonso y Amado Alonso.

La estética idealista está centrada en la relación entre texto y autoría, al considerar aquel como expresión de la individualidad de esta. Está caracterizada por el idealismo lingüístico, que da importancia al lenguaje, ya no concebido como un instrumento que refleja la realidad y el contexto, sino como medio para la comprensión de quien escribe. El lenguaje, como creación individual, equivale al estilo lingüístico. Por ello, la estética idealista se centra en el estilo y el uso individual de la lengua como reflejo del sistema lingüístico abstracto, con la pretensión de conectar la lingüística y la historia literaria.

Así pues, el análisis parte de lo exterior a lo interior, de la forma lingüística al contenido, pues se concibe la lengua literaria como *desvío* y como producto al mismo tiempo de la originalidad espiritual del autor o autora (*etymon* espiritual). Son los datos lingüísticos los que objetivan el *desvío* y justifican dicho estilo e individualidad.

Escuela de Frankfurt

Tiene su auge a mediados del siglo xx, influida por el marxismo y con procedimientos procedentes de las ciencias sociales y el sicoanálisis. Se adscribieron a ella autores como Horkheimer, Marcuse, Benjamin, Max Horkheimer, Theodor W. Adorno, Felix Weil o Friedrich Pollock.

Concibe el arte y la literatura como revolucionarios, no por los contenidos temáticos, sino por el tratamiento estético. Para ello, analiza las obras, su producción, estructura y función en relación con el contexto en que han surgido, con la pretensión de generalizar la teoría crítica y la razón.

Su declive tuvo que ver con el exilio de sus principales representantes y con las críticas recibidas por atacar los valores tradicionales, por un lado, y por ser una corriente elitista o burguesa, por otro.

Nouvelle Critique

La Nouvelle Critique o estructuralismo francés surge en la Francia de los años 60, impulsada por Roland Barthes, Gérard Genette, Julia Kristeva, Tzvetan Todorov, A. J. Greimas y Claude Bremond, entre otros.

Es un modelo de análisis estructuralista en el que se movilizan los primeros contenidos y se confirman y amplían con la forma del texto literario (se aíslan unidades mínimas del texto que se recomponen después para visualizar la unidad estructural del conjunto). El método se basa en la metodología de la lingüística estructural y en la noción de *sistema* de Saussure, lo que desemboca en una estilística estructural (Rifaterre, Guiraud) donde el texto literario tiene sentido en tanto que sistema finito de signos en el interior del sistema de la lengua.

Los estructuralistas franceses consideran que la literatura se caracteriza por la voluntad de estilo: su esencia no está en la personalidad del autor o autora ni en su posible mensaje, sino en el sistema organizado que forma la obra, siempre siguiendo de cerca la retórica antigua.

A partir de los 70, miembros de Tel Quel, como Kristeva, evolucionan hacia posiciones más abiertas, mientras que otros como Barthes se van acercando al sicoanálisis.

Círculo de Praga

Nace en 1926 en torno a autores como Mukarousky, Wellek, Vilém Mathesius y el mismo Roman Jakobson.

Es una corriente estructuralista que asimila las aportaciones del Formalismo. Basándose asimismo en el concepto de *sistema* de Saussure, la obra literaria es analizada como sistema funcional en el que cada elemento se entiende dentro del conjunto. Así, elementos idénticos, en estructuras diferentes, pueden desempeñar funciones diferentes.

Consideran la importancia de incorporar el contexto social en el que se da el lenguaje, por lo que el análisis incluye cuestiones semánticas y extratextuales.

Escuela de Tartu

Tiene su auge entre los años 60 y 80 en la Unión Soviética, impulsada por Iuri L. Lotman y Uspenki, quienes sintetizan las tradiciones formalistas, semióticas e histórico-ideológicas (Bajtín). Se les atribuye la crisis de la *literariedad*.

Importa el contexto y la cultura donde se crean las obras literarias. Se entiende la cultura como mecanismo de estructuración del mundo, en la medida en que es generadora de modelos o visiones de mundo, red de comunicación y mecanismo de producción de significados. Así pues, se extiende el objeto de estudio a todos los aspectos de la cultura (semiótica de la cultura), que implica que los textos artísticos no se pueden leer aislados unos de otros, por un lado, y que deben ser insertados en su contexto para ser comprendidos y analizados, por otro. El texto literario supone una codificación compleja o polifonía textual —como diría Bajtín— que responde a una forma de creación del mundo y de la realidad, a los que otorga sentido.

Pragmática literaria

Surge hacia finales de los 70. Autores como Schmidt o Van Dijk tratan de analizar cada obra literaria desde la perspectiva de su contenido comunicativo. Desde un punto de vista general, la literariedad tendría que ver con ciertos elementos de la situación comunicativa especial en la que se inserta todo hecho literario: desde su estatuto comunicativo, se considera que la literatura está inserta en un sistema especial, la comunicación literaria. El desafío incluye interesarse por las reacciones de recepción, lo que conduce a la asunción de la *polifuncionalidad* de la literatura, que permite diferentes lecturas posibles derivadas a su vez de una *múltiple codificación*. La lectura más allá de lo literal buscará siempre dar respuesta al problema de la interpretación.

La superación de la pragmática literaria vendría hacia los años 90, de la mano de Norris, Pratt y Domínguez Caparrós.

Estética de la recepción

En la misma época (años 70-80), autores como Hans Robert Jauss, Wolfgang Iser, Umberto Eco y Harald Weinrich empiezan a considerar la literatura como un fenómeno pensado para los lectores y ponen en su estatuto el foco de análisis, analizando su respuesta según los diferentes bagajes intelectuales, vivenciales y culturales. El horizonte de expectativas de cada uno será diferente (Jauss), y empieza a teorizarse acerca de las condiciones óptimas de lectura, para lo que se crea el concepto de lector modelo de Eco.

Como su nombre indica, la estética de la recepción se ocupa de la problemática de la recepción literaria, de cómo se usa y se consume lo literario, así como de en qué consiste la competencia literaria que permite activar las diferentes interpretaciones (polivalencia interpretativa). El problema de la interpretación se aborda con la consideración de las obras como abiertas significativamente a la recepción del lector o lectora.

Una de las aportaciones de esta corriente es la redefinición de historia literaria desde el punto de vista de la historia de la recepción, desde el convencimiento de que el estatuto lector es una instancia de estudio fundamental olvidada hasta el momento.

Deconstructivismo

Autores como Jacques Derrida, con el apoyo de la Escuela de Yale, pero también del mencionado Barthes, comienzan desde bien pronto a plantearse las posibilidades y límites de la crítica, y concluyen con su incapacidad para determinar la supuesta verdad de cada obra, es decir, la imposibilidad de la interpretación. Esto, que llevaría al absurdo cualquier existencia de crítica literaria, parte de la idea de que toda interpretación es una malinterpretación. Pero precisamente porque no hay posibilidad de distinguir la interpretación correcta de la incorrecta, todas pueden permitirse y desmontarse al mismo tiempo. Se rompe así con la prioridad de lo literario frente a la crítica literaria, que se vuelve interesante en sí misma.

Teorías feministas

Desde los años 60, autoras como Heilburn, Showalter, Kristeva vienen reclamando la autoridad de la crítica literaria realizada por mujeres. Uno de los primeros planteamientos es la diferencia entre los actos de lectura desde el estatuto de hombre al hecho de leer como mujer (en ambos casos independientemente del sexo del sujeto). Según sus prácticas y el objeto de estudio, se distingue entre la crítica feminista y la ginocrítica; ambas se aplican, además de a los mecanismos de recepción, tanto al estudio de escritoras y sus obras como de la caracterización de personajes (Saneleuterio, 2020).

Las teorías literarias en el mundo de la enseñanza de la literatura

Como se ha visto, la definición de literatura no ha resultado fácil a lo largo de la historia, ni ha logrado consenso aún hoy en día, si bien tenemos claro que no podemos ceñirnos a un solo aspecto. Cada una de las teorías introducidas parte de una manera de entender el hecho literario que conduce a una definición concreta de literatura y, en consecuencia, a una manera u otra de acercarse a ella. Paralelamente, también la enseñanza de la literatura ha sido enfocada a lo largo de la historia de una forma u otra, dependiendo de las concepciones del hecho literario vigentes en cada momento (o asumidas por el profesorado). Podemos decir, pues, que las maneras de acercar la literatura a los más jóvenes se corresponden con diferentes enfoques didácticos relacionados directamente con las diferentes formas de entenderla y son responsables, en suma, de las diferentes metodologías con que se lleva o se ha llevado la literatura a las aulas. Según autores como Colomer (1996) o Mendoza Fillola (2004), cabe distinguir cuatro grandes etapas en la evolución de la educación literaria, que se corresponden con cuatro corrientes pedagógicas o modelos de concepción de la educación en general:

- ✧ Desde la Edad Media hasta el siglo XIX se estudiaba la retórica y las obras literarias, exclusivamente las clásicas, se utilizaban para prácticas de identificación y emulación. Este **modelo retórico** implicaba que los textos literarios eran tomados como referente discursivo, pero también moral.

- ✧ A mediados del XIX aparece el **modelo historicista**, influido por el auge de la Historia durante el Romanticismo, así como la reivindicación del patrimonio cultural y la promoción de su estudio y conocimiento en los diferentes países, por lo que se insiste en la conciencia nacional de autores, autoras y obras de la propia literatura.

- ✧ A partir de los años 60, con el auge del formalismo y el estructuralismo, se difunde el **modelo textual**, con el comentario de textos como principal metodología, cuyo objetivo es el desarrollo de habilidades analíticas e interpretativas: se trabaja la comprensión, pero también la expresión de la interpretación de la obra literaria.

- ✧ A partir de los años 80, el foco se traslada al proceso de lectura y la exploración de la experiencia, por lo que se trabaja con un **modelo lector** de conocimiento de los textos que busca despertar el placer de la lectura y desarrollar estrategias de mejora de la competencia literaria.

Las funciones de la lectura literaria

Para Josep Ballester (2007, pp. 98-100) son numerosas las funciones de la literatura. En general, y de manera específica e intensa en la educación, funciona como generadora de ocho realidades principales:

- ✧ Fuente de conocimientos: en las obras literarias se condensan misterios del mundo y secretos de la vida humana.

✧ Fuente de enseñanza: transmite valores y tradiciones sociales en el seno de una comunidad o de una a otra.

✧ Transmisión de cultura: encierra visiones concretas o extendidas de la realidad cultural.

✧ Liberación: a través de la creación/evocación de mundos posibles.

✧ Evasión: permite transitar otras épocas y lugares.

✧ Compromiso: el mensaje ideológico puede incidir en la transformación social.

✧ Experiencia vital: a través de los personajes, como experiencia alternativa o complementaria de la real.

✧ Enseñanza de la lengua: funciona como modelo de lengua y paradigma para la comprensión y producción personal.

En cuanto a la enseñanza de los géneros literarios, el profesorado de literatura suele mostrarse más cómodo con novelas e incluso piezas dramáticas, si bien las bondades de la poesía son también diversas (Ballester, 2017; Andricaín y Orlando, 2016) y no deberían relegarse, dado que la narrativa y el teatro, por sus características, tienen *per se* más posibilidades de ser experimentados como entretenimiento fuera del aula.

Para saber más

Adam, J. M. (1985). Quel types de textes? *Le Français dans le Monde, 192*, 39-43.

Adam, J. M. (1987). Types de sequences textuelles élémentaires. *Practiques, 56*, 54-79.

Adam, J. M. (1992). *Les texts: types et prototypes. Récit, description, argumentation, explication et dialogue.* Paris: Nathan.

Adam, J. M. (1999). *Linguistique textuelle. Des genres de discours aux textes.* Paris: Nathan/HER.

Álvarez Angulo, T. (2005). *Los procesos de escritura y el texto expositivo en la mejora de la competencia escrita de los escolares de sexto de Educación Primaria.* Madrid: Editorial Complutense.

Álvarez Méndez, J. M. (coord.) (1987). *Teoría lingüística y enseñanza de la lengua.* Madrid: Akal.

Andricaín, S., y Orlando, A. (2016). *Escuela y poesía ¿y qué hago con el poema?* Cuenca: Publicaciones de la Universidad de Castilla- La Mancha.

Arlandis, S. (2021). *El desafío de la lectura. Educación literaria y formación lectora de futuros maestros.* València: Tirant Lo Blanch.

Austin, J. L. (1962). *How to Do Things with Words.* Cambridge: Harvard University Press. Trad. Esp.: *Cómo hacer cosas con palabras.* Barcelona: Paidós, 1982.

Bajtín, M. (1952-1953). El problema de los géneros discursivos. Recogido en el volumen póstumo *Estética de la creación verbal* (pp. 248-293). México: Siglo XXI, 1982 (1.ª ed.: 1979).

Ballester, A. (2017). *Poemanía. Guía práctica para hacer lectores de poesía.* Alzira: Bromera.

Ballester, J. (2007). *L'educació literària.* València: PUV.

Ballester, J. (2015). *La formación lectora y literaria.* Barcelona: Graó.

Ballester, J., e Ibarra, N. (coords.) (2020). *Entre la lectura, la escritura y la educación. Paradigmas de investigación en Didáctica de la Literatura y la Lengua.* Madrid: Narcea.

Ballesteros, C., y Palou, J. (2005). Las creencias del profesorado y la enseñanza de la lengua oral. En Vilà, M. (coord.), *El discurso oral formal. Contenidos de aprendizaje y secuencias didácticas* (pp. 101-114). Barcelona: Graó.

Beaugrande, R., y Dressler, W. (1981). *Introduction to text linguistics.* London/New York: Longman. Trad. esp.: *Introducción a la lingüística del texto.* Barcelona: Ariel, 1997.

Bernárdez, E. (1982). *Introducción a la lingüística del texto.* Madrid: Espasa-Calpe.

Bloom, H. (1994). An elegy for the canon. In *The Western Canon. The Books and School of the Ages* (pp. 15-41). New York: Harcourt Brace & Co. Citado por la traducción al castellano: Elegía al canon. En E. Sullà (ed.) (1998). *El canon literario* (pp. 189-219). Madrid: Arco Libros.

Boillos Pereira, M. M. (2017). Propuesta para la enseñanza de la escritura a través de los géneros en la Educación Secundaria. *Didáctica. Lengua y literatura, 29,* 11-28.

Bousoño, C. (1981). *Épocas literarias y evolución. Edad Media, Romanticismo, Época contemporánea.* Madrid: Gredos.

Bronckart, J. P. (1985). *Las ciencias del lenguaje. ¿Un desafío para la enseñanza?* Paris: UNESCO.

Bronckart, J. P. (1993). L'enseignement des langues vivantes dans une perspective discursive. En *Les langues étrangères dans l'Europe de l'Acte Unique.* Barcelona: ICE de la Universitat Autònoma de Barcelona.

Brookes, A., y Grundy, P. (1990). *Writing for Study Purposes.* Cambridge: UP.

Bühler, K. (1933). *Ausdruckstheorie.* Jena: Fischer. Trad. esp.: *Teoría del lenguaje.* Madrid: Alianza Editorial, 1985. Pero creo que esta es *Sprachtheorie.* Jena: Fischer, 1934.

Campos Fernández-Fígares, M., y Quiles, M.ª del C. (coords.) (2019). *Repensando la Didáctica de la Lengua y la Literatura. Paradigmas y nuevas líneas de investigación.* Madrid: Visor.

Camps, A. (1990). Modelos del proceso de redacción: algunas implicaciones para la enseñanza. *Infancia y Aprendizaje, 13(49),* 3-19.

Camps, A. (comp.) (2003). *Secuencias didácticas para aprender a escribir.* Barcelona: Graó.

Canale, M. (1983). From communicative competence to communicative language pedagogy. En Richards, J., y Schmidt, R. (eds.). *Language and Communication.* London: Longman. Trad. cast.: De la competencia comunicativa a la pedagogía comunicativa del lenguaje. En M. Llobera (coord.) (1995). *Competencia comunicativa. Documentos básicos en la enseñanza de lenguas extranjeras* (pp. 62-83). Madrid: Edelsa.

Canale, M. y Swain, M. (1980). Theoretical bases of communicative approaches to second language teaching and testing. *Applied Linguistics, 1,* 1-47. Trad. cast.: Fundamentos teóricos de los enfoques comunicativos. *Signos, 17* (pp. 56-61) y 18 (pp. 78-91), 1996. http://bit.ly/1CKcQHb

Carlino, P. (2012). La alfabetización académica diez años después. *Revista Mexicana de Investigación Educativa, 18(57),* 355-381.

Cassany, D. (1990). Enfoques didácticos para la enseñanza de la expresión escrita. *Comunicación, lenguaje y educación, 2(6),* 63-80.

Cassany, D. (1999). *Construir la escritura.* Barcelona: Paidós.

Cassany, D. (1993). *Reparar l'escriptura. Didàctica de la correcció de l'escrit.* Barcelona: Graó.

Cassany, D., Luna, M., y Sanz, G. (1994). *Enseñar lengua.* Barcelona: Graó, 13.ª ed. 2008.

Castellà, J. M., y Vilà i Santasusana, M. (2005). La lengua oral formal. Características lingüísticas y discursivas. En Vilà, M. (coord.), *El discurso oral formal. Contenidos de aprendizaje y secuencias didácticas* (pp. 25-36). Barcelona: Graó.

Castellà, J. M. (1996). Las tipologías textuales y la enseñanza de la lengua. Sobre la diversidad, los límites y algunas perversiones. *Textos de Didáctica de la Lengua y de la Literatura, 10,* 23-31.

Chomsky, N. (1957). *Syntactic Structures.* Trad. esp.: *Estructuras sintácticas.* México: Siglo XXI, 1974.

Colomer, T. (1996). La didáctica de la literatura: temas y líneas de investigación e innovación. En Lomas, C., *La educación lingüística y literaria en la enseñanza secundaria* (pp. 123-142). Barcelona: Horsori.

Colomer, T. (1998). *La formación del lector literario. Narrativa infantil y juvenil actual.* Madrid: Fundación Germán Sánchez Ruipérez.

Colomer, T. (1999). *Introducción a la literatura infantil y juvenil.* Madrid: Síntesis.

Consejo de Europa (2001). *Common European Framework of Reference for Languages: Learning, Teaching, Assessment.* Council for Cultural Cooperation: Cambridge University Press. https://rm.coe.int/1680459f97. Trad. esp.: Instituto Cervantes. *Marco común europeo de referencia para las lenguas: aprendizaje, enseñanza, evaluación.* Madrid: Ministerio de Educación, Cultura y Deporte/Anaya, 2002. http://cvc.cervantes.es/obref/marco

Consejo de Europa (2018). *Common European Framework of Reference for Languages: Learning, Teaching, Assessment. Companion Volume with New Descriptors.* https://rm.coe.int/cefr-companion-volume-with-new-descriptors-2018/1680787989

Coseriu, E. (1977). *Estudios de lingüística románica.* Madrid: Gredos.

Del Amo Sánchez-Fortún, J. M. (2002). *Literatura infantil: Teoría y práctica.* Granada: Grupo Editorial Universitario.

Ferreiro, E. (2001). *Pasado y presente de los verbos leer y escribir.* México: Fondo de Cultura Económica.

Ferreiro, E., y Gómez Palacios, M. (1982). *Nuevas perspectivas sobre los procesos de lectura y escritura.* México: Siglo XXI.

Flower, L. (1989). *Problem-Solving Strategies for Writing.* Orlando: Harcourt Brace Jovanovich.

Flower, L., y Hayes, J. R. (1980). Identifying the Organization of Writing Processes. En Gregg, L. W., y Steinberg, E. R. (eds.), *Cognitiae Processeisn Writing.* New Jersey: Erlbaum.

Flower, L., y Hayes, J. R. (1981). A Cognitive Process Theory of Writing. *College Composition and Communication,* 32(4), 365-387. https://blogs.baruch.cuny.edu/baruchteachingpracticum2015/files/2015/08/A-Cognitive-Process-Theory-of-Writing.pdf

Fons, M. (1999). *Llegir i escriure per viure. Alfabetització inicial i ús real de la llengua escrita a l'aula.* Barcelona: La Galera.

Fons, M. (2006). Aprendre a llegir i escriure amb sentit. *Papers d'Educació, 4.*

Fowler, A. (1979). Genre and the literary canon. *New Literary History,* 11, 97-119.

Gil, J. (2001). *Introducción a las teorías lingüísticas del siglo XX.* Santiago: Melusina-Ril.

Gómez Yebra, A. (2016). *Animación a la lectura y literatura juvenil.* Sevilla: Renacimiento.

Gregory, M., y Carroll, S. (1982). *Lenguaje y situación. Variedades del lenguaje y sus usos sociales.* México: Fondo de Cultura Económica.

Grice, H. P. (1975). Logic and Conversation. *Syntax and Semantics, 3: Speech Acts* (pp. 41-58). New York: Academic Press.

Gumperz, J., y Hymes, D. (1972). *Directions in Sociolinguistics: The Ethnography of Communication.* New York: Holt, Rinehart & Winston.

Halliday, M. A. K. (1974). *Language and Social Man.* London: Longman.

Halliday, M. A. K. (1978). *Language and Social Semiotic: the social interpretation of language and meaning.* London: E. Arnold. Citado por la traducción española: *El lenguaje como semiótica social. La interpretación social del lenguaje y del significado.* México: Fondo de Cultura Económica, 1979.

Harris, W. V. (1991). Canonicity. *PMLA, 106* (1), 110-121. Citado por la traducción española: La canonicidad. En E. Sullà (ed.) (1998). *El canon literario* (pp. 37-60). Madrid: Arco Libros.

Hymes, D. H. (1971). On comunicative competence. En Pride, J. B, y Colmes, J. (eds.). *Sociolinguistics.* Harmonsworth: Penguin Books. Trad. esp.: Acerca de la competencia comunicativa. En Llobera Cánaves, M. (coord.) (1995). *Competencia comunicativa. Documentos básicos en la enseñanza de lenguas extranjeras* (pp. 27-47). Madrid: Edelsa.

Jakobson, R. (1963). *Essais de linguistique générale*. Paris: Minuit.

Ley Orgánica 8/2013, de 9 de diciembre, para la Mejora de la Calidad Educativa. *Boletín Oficial del Estado*, 295, de 10 de diciembre, 97858-97921. https://www.boe.es/eli/es/lo/2013/12/09/8

Ley Orgánica 3/2020, de 29 de diciembre, por la que se Modifica la Ley Orgánica 2/2006, de 3 de mayo, de Educación. *Boletín Oficial del Estado*, 340, de 30 de diciembre 122868-122953. https://www.boe.es/eli/es/lo/2020/12/29/3

Lomas, C. (coord.) (2015). *Fundamentos para una enseñanza comunicativa del lenguaje*. Barcelona: Graó.

Lomas, C., Osoro, A., y Tusón, A. (1993). *Ciencias del lenguaje, competencia comunicativa y enseñanza de lengua*. Barcelona: Paidós.

Lomas, C., y Osoro, A. (coords.) (1993). *El enfoque comunicativo de la enseñanza de la lengua*. Barcelona. Paidós.

López Valero, A., y Encabo Fernández, E. (2002). *Introducción a la didáctica de la lengua y la literatura. Un enfoque sociocrítico*. Barcelona: Octaedro.

Mainer, J. C. (dir.) (2013). *Historia de la literatura española*. Barcelona: Crítica.

Martín Ezpeleta, A. (ed.) (2020). *Usos sociales en educación literaria*. Barcelona: Octaedro.

Mendoza Fillola, A. (coord.) (1998). *Conceptos clave en didáctica de la lengua y la literatura*. Barcelona: Horsori.

Mendoza Fillola, A. (2004). *La educación literaria: bases para la formación de la competencia lecto-literaria*. Málaga: Aljibe.

Mendoza Fillola, A. (2008). *La renovación del canon escolar: la integración de la literatura infantil y juvenil en la formación literaria*. Alicante: Biblioteca Virtual Miguel de Cervantes. http://www.cervantesvirtual.com/obra/la-renovacin-del-canon-escolar---la-integracin-de-la-literatura-infantil-y-juvenil-en-la-formacin-literaria-0/

Mesa, M. P. (2012). Una propuesta para la mejora de la adecuación en la expresión escrita en la ESO. Profesorado. *Revista de Currículum y Formación de Profesorado*, 16(3), 431-445. https://recyt.fecyt.es/index.php/profesorado/article/view/43458

Molina, M. E., y Carlino, P. (2013). Escribir y argumentar para aprender. Las potencialidades epistémicas de las prácticas de argumentación escrita. *Texturas*, 13, 16-32.

Murray, D. M. (1990). *Write to Learn*. Orlando: Holt, Rinehart & Winston.

Navarro, F., Ávila, N., y Cárdenas, M. (2020). Lectura y escritura epistémicas: movilizando aprendizajes disciplinares en textos escolares. *Revista Electrónica de Investigación Educativa*, 22, e15, 1-13. https://doi.org/10.24320/redie.2020.22.e15.2493

Núñez Cortés, J. A., Martín Muñoz, M., y Cano Fernández, E. (2018). La competencia argumentativa de Bachillerato a Educación Superior: el uso de marcadores discursivos. En Gómez Martínez, M., Moral del Hoyo, C., y Williams Camus, J. T. (coords.), *Aplicaciones de la lingüística de corpus al estudio de lenguas modernas* (pp. 115-136). Santander: Real Sociedad Menéndez Pelayo.

Núñez Cortés, J. A., y Saneleuterio, E. (2021). La enseñanza del ensayo en secundaria: análisis de secuencias didácticas. *Lenguaje y Textos*, 53, 79-91. https://doi.org/10.4995/lyt.2021.15438

Pérez Esteve, P., y Zayas, F. (2007). *Competencia en comunicación lingüística*. Madrid: Alianza.

Pozuelo Yvancos, J. M. (coord.) (2011). *Las ideas literarias (Historia de la literatura española, vol. 8)*. Barcelona: Crítica.

Real Academia Española (2014). *Diccionario de la lengua española* (23.ª edición). Madrid: Espasa. http://www.rae.es

Real Academia Española y Asociación de Academias de la Lengua Española (2009). *Nueva gramática de la lengua española*. Madrid: Espasa.

Real Academia Española y Asociación de Academias de la Lengua Española (2010). *Ortografía de la lengua española*. Madrid: Espasa.

Real Decreto 1105/2014, de 26 de diciembre, por el que se establece el currículo básico de la Educación Secundaria Obligatoria y del Bachillerato. *Boletín Oficial del Estado*, 3, de 3 de enero de 2015, 169-546. https://www.boe.es/eli/es/rd/2014/12/26/1105

Ribera, P. (2007). Leer y escribir: un enfoque comunicativo y constructivista. *Cuadernos de Educación, 1*, 13-15.

Ríos, I. (2000). Planificar vol dir també escriure. *Articles de Didàctica de la Llengua i de la Literatura, 21*, 99-107.

Rodríguez, C. (2009). La importancia de la planificación de los géneros discursivos en los alumnos de primaria y secundaria y el diseño de tareas de escritura. *Textos de Didáctica de la Lengua y de la Literatura, 52*, 97-107.

Ruiz Bikandi, U. (coord.) (2011). *Lengua castellana y literatura. Complementos de formación disciplinar*. Barcelona: Graó.

Sánchez Jiménez, S. U., Martín Rogero, N., y Servén Díez, C. (2018). *Complementos para la formación en la lengua y literatura*. Madrid: Síntesis.

Saneleuterio, E. (2015). *Evolución de las corrientes y estilos literarios. Propuestas didácticas para la adquisición de destrezas crítico-literarias*. Sofra: University.

Saneleuterio, E. (2018). Solo en caso de ambigüedad o la coherencia en la enseñanza de la tilde. *Boletín de Filología, 53*(1), 279-289. https://boletinfilologia.uchile.cl/index.php/BDF/article/view/50648/53171.

Saneleuterio, E. (ed.) (2020). *La agencia femenina en la literatura ibérica y latinoamericana*. Madrid/Frankfurt: Iberoamericana/Vervuert.

Saussure, F. (1916). *Cours de linguistique générale*. Trad. esp.: *Curso de lingüística general*. Buenos Aires: Losada, 1986.

Searle, J. R. (1969). *Speech Acts: An Essay in the Philosophy of Language*. Cambridge University Press. Trad. esp.: *Actos de habla. Un ensayo de filosofía del lenguaje*. Madrid: Cátedra, 1980.

Sevilla, S. (2018). La aventura interminable: algunas claves sobre la motivación y los procesos de lectura. *Revista Cálamo FASPE, 66*, 1-6. https://ebuah.uah.es/dspace/handle/10017/41882

Sperber, D., y Wilson, D. (1986). *Relevance: Communication and cognition*. Oxford: Basil Blackwell. Trad. esp.: *La relevancia. Comunicación y procesos cognitivos*. Madrid: Visor, 1994.

Swales, J. (1990). *Genre Analysis: English in Academic and Research Settings*. Cambridge: CUP.

Tusón, A. (1996). El estudio del uso lingüístico. En Lomas, C. (coord.), *La educación lingüística y literaria en la enseñanza secundaria*. Barcelona: Universitat de Barcelona/Horsori. Recogido en Lomas, C. (coord.), *Fundamentos para una enseñanza comunicativa del lenguaje* (pp. 25-74). Barcelona: Graó.

Uribe, G., Camargo, Z., y Zambrano-Valencia, J. D. (2017). Ensayo. En Agosto, S. E., Álvarez, T., Hilario Silva, P., Mateo, M. T., y Uribe, G. (coords.). *Géneros discursivos y estrategias para redactar textos académicos en Secundaria* (pp. 59-65). Barcelona: Octaedro.

Vilà, M., y Castellà, J. M. (2014). *10 ideas clave. Enseñar la competencia oral en clase. Aprender a hablar en público*. Barcelona: Graó.

Werlich, E. (1975). *Typologie der Text*. München: Fink.

Zambrano-Valencia, J. D., Caro, M. Á., y Parra, E. L. (2019). Hacia las formas y funciones del miniensayo. *Sophia, 15*(2), 71-78. http://dx.doi.org/10.18634/sophiaj.15v.1i.944

LA EDUCACIÓN PLURILINGÜE E INTERCULTURAL EN EL CONTEXTO ESCOLAR VALENCIANO

El Marco Común Europeo de Referencia para las Lenguas

¿Qué es?

El Marco Común Europeo de Referencia para las Lenguas o MCERL —también conocido como MCER, o incluso CEFR, por sus siglas en inglés— es un documento de referencia para la enseñanza y aprendizaje de idiomas elaborado por el Consejo de Europa en 2001, traducido a todas las lenguas europeas en 2002 y revisado por el propio Consejo en 2018. El MCERL describe de forma exhaustiva aquello que debería conseguir hacer cada estudiante a fin de utilizar la lengua que aprende para la comunicación, así como los conocimientos y las habilidades que debe desarrollar para ser capaz de actuar de manera efectiva. Entre los contenidos de aprendizaje, el MCERL incluye los contextos culturales vinculados al idioma en cuestión.

¿Para qué sirve?

El MCERL sirve para promover y facilitar la cooperación entre las instituciones de enseñanza de los países europeos y consolidar el reconocimiento recíproco de las calificaciones de lenguas, sitúa y coordina los esfuerzos de los diferentes agentes implicados en los procesos de enseñanza y aprendizaje de lenguas, además de contribuir a promover el plurilingüismo dentro de un contexto pluricultural que caracteriza a la mayoría de sociedades actuales y, en definitiva, es un rasgo identitario de la sociedad europea del siglo XXI. Entre sus finalidades, podemos destacar las siguientes:

- ✧ Proporcionar bases para elaborar programas, currículos, exámenes, etc.
- ✧ Describir lo que hay que aprender a hacer en otras lenguas, y las destrezas que hay que desarrollar, incluyendo los contextos donde se sitúa la lengua.
- ✧ Definir los niveles de referencia y homogeneizarlos en el contexto europeo.

¿A quién?

Es útil para el profesorado de lenguas —tanto en enseñanza adulta como en contextos escolares—, pero también para el alumnado oficial o los aprendices autodidactas. Asimismo, es una guía para la Administración a la hora de elaborar los currículos de enseñanza, así como para las instituciones educativas en el proceso de diseño e implementación de los cursos. En consecuencia, los organismos certificadores lo toman como referencia para diseñar las pruebas de certificación. Por último, a las editoriales les sirve como guía para elaborar sus propuestas didácticas o materiales curriculares.

¿Cómo?

El enfoque del MCERL está orientado a la acción, pues los usuarios y aprendices de una lengua, al formar parte de una sociedad, realizan tareas en circunstancias y contextos determinados.

Los criterios para su elaboración contemplan la necesidad de que se convierta en un marco integrador, coherente, con finalidad múltiple, flexible, abierto, dinámico, no dogmático... donde la cultura sea un elemento importante que dé sentido al aprendizaje lingüístico. También López y Encabo (2013) señalan la necesidad de integrar en la enseñanza de un idioma el contexto cultural de donde este es utilizado y, sobre todo, la importancia de que se enfoque de manera que se promueva con ello la competencia intercultural. Por este motivo, sugieren que toda intervención pedagógica parta de la observación e interpretación de los elementos de la cultura en cuestión, para crear y desarrollar actividades que expliciten las cuestiones culturales y las tomen como base para la reflexión y el enriquecimiento a partir del intercambio y discusión de pareceres.

Objetivos

El Consejo de Europa, a través del MCERL, protege y desarrolla la rica herencia lingüística y cultural europea como fuente de diversidad. Además, con ello hace efectivo su propósito de promover el respeto y el entendimiento mutuo entre los ciudadanos. El propio documento del MCERL (2001) se marca estos objetivos:

- ✧ Proteger y desarrollar la herencia cultural y la diversidad de Europa.
- ✧ Facilitar la movilidad de los ciudadanos y el intercambio de ideas.
- ✧ Desarrollar un enfoque de enseñanza de lenguas basado en principios comunes.
- ✧ Promover el plurilingüismo.
- ✧ Promover la reflexión metodológica y de contenidos en la enseñanza y en el aprendizaje de idiomas.
- ✧ Favorecer la transparencia de cursos, programas y titulaciones.
- ✧ Favorecer la cooperación entre instituciones educativas de lenguas modernas.

Niveles de referencia

El MCERL define los niveles de suficiencia que permiten medir el progreso de cada aprendiz en los diferentes grados del aprendizaje y durante toda la vida. Los niveles de referencia gradúan las diferentes competencias en cada idioma y describen, en conjunto, el grado de dominio lingüístico general de esa lengua, lo que facilita la comparación entre los diferentes sistemas de certificados.

✧ Adecuación a cualquier contexto.
✧ Descripción basada en teorías sobre la competencia comunicativa.

La medición de niveles pretende una determinación objetiva de los niveles de manera que muestren el progreso en distintos aspectos. Aunque en la revisión que el propio Consejo de Europa realizó del MCERL (Consejo de Europa, 2018) se parte de que la competencia en cualquier área es como un arcoíris —no hay límites entre colores, aunque el ojo humano tiende a establecerlos—, se sigue hablando de niveles de referencia, si bien se han añadido algunos cuyo objetivo persigue precisar el *continuum*:

✧ Usuario básico: A1. Acceso y A2. Plataforma.
✧ En 2018 se añaden los niveles Pre-A1 y A2+.
✧ Usuario independiente: B1. Umbral y B2. Avanzado.
✧ En 2018 se añaden los niveles B1+ y B2+.
✧ Usuario competente: C1. Dominio operativo eficaz y C2. Maestría.
✧ En 2018 se añade el nivel Above C2.

Asimismo, los descriptores de cada habilidad lingüística tienen en cuenta las nuevas formas de comunicación que han arraigado en la sociedad y en las cuales también se es más o menos proficiente según en qué lengua; por ejemplo, como añadido, se han descrito las competencias en interacción virtual o electrónica. Además, como ya se dijo en el capítulo anterior, se evitan algunos términos polémicos, como «habla nativa», que no tiene por qué ser el referente generalizado en la enseñanza de una lengua.

El Portfolio Europeo de las Lenguas

¿Qué es?

El porfolio europeo de las lenguas —oficialmente Portfolio Europeo de las Lenguas (PEL)— es un proyecto estrechamente relacionado con el MCERL. Fue diseñado y desarrollado por el Departamento de Política Lingüística del Consejo de Europa desde el año 1998 hasta el 2000. Este proyecto fue propuesto de forma general para toda Europa durante la conmemoración del Año Europeo de las Lenguas, que se celebró en 2001. Desde entonces, el Consejo de Europa sigue promoviendo este proyecto, delegando su gestión en organismos diferentes propios de cada país europeo. En España, el responsable estatal del PEL es la Subdirección General de Programas Europeos del Ministerio de Educación, Cultura y Deporte, quien trabaja en colaboración con las comunidades autónomas.

En la Comunitat Valenciana, la aplicación del PEL a nivel educativo permite articular la presencia de diferentes lenguas en el aula, no solo por el bilingüismo propio de nuestro contexto sociolingüístico, sino también por la presencia curricular de al menos una lengua extranjera, además de los idiomas de origen del alumnado inmigrante. El PEL es uno de los instrumentos que permite enfocar las ventajas de esta realidad plurilingüe y transformar las aulas en entornos donde el contacto de lenguas y de culturas favorezca el desarrollo intercultural de cada estudiante. Para la aplicación del Portfolio en nuestra comunidad se han diseñado unas guías didácticas para cada una de las etapas, que están disponibles en la web de Conselleria.

El proyecto del Portfolio Europeo de las Lenguas se concreta en un documento personal y virtual, donde la persona que aprende o ha aprendido varias lenguas puede registrar las experiencias y resultados del aprendizaje lingüístico y los contactos que ha tenido con otras culturas, así como reflexionar sobre estos procesos. Todo ello toma la forma de un porfolio educativo —de ahí su nombre—, es decir, una especie de cuaderno, en este caso electrónico, que incluye documentación, cuadros, preguntas, orientaciones y ejercicios. Uno de los aspectos más interesantes es que, aparte de las certificaciones oficiales y los cursos recibidos en el sistema educativo, el PEL permite registrar experiencias que lo trascienden, cursos no reglados e incluso aprendizajes no formales.

El uso del PEL concibe la finalidad del aprendizaje de lenguas desde un enfoque comunicativo; además, por el hecho de posibilitar la reflexión, fomenta la autoevaluación lingüística y la autoconciencia de la evolución en cada uno de los idiomas que se aprenden.

¿Para qué sirve?

El PEL nace con dos funciones primordiales, una pedagógica —en la medida en que ayuda a potenciar y mejorar los procesos de aprendizaje de lenguas— y otra informativa o de registro.

Respecto de su función pedagógica, el PEL intenta hacer el proceso de aprendizaje de lenguas más transparente para el alumnado, dado que clarifica y precisa los objetivos de aprendizaje en términos comunicativos; ayuda a desarrollar la capacidad de reflexión y de autoevaluación de manera que potencia la asunción de responsabilidad del propio aprendizaje; y desarrolla las competencias de aprender a aprender y de seguir formándose a lo largo de la vida, fomentando la autonomía de cada aprendiz y el aprendizaje permanente.

La función informativa o de registro, por su parte, no pretende sustituir las certificaciones o diplomas oficiales, sino completar esos títulos con información complementaria sobre las experiencias y competencias lingüísticas desarrolladas, de manera que se facilite la movilidad geográfica, la empleabilidad, etc.

En conclusión, tal y como está diseñado, el PEL permite a cada aprendiz:

✧ Reflejar lo que el titular sabe hacer en cada una de las lenguas que conoce.

✧ Registrar las experiencias propias de aprendizaje de lenguas y culturas y reflexionar sobre ellas.

✧ Anotar los avances que se realizan en el aprendizaje de lenguas y marcarse nuevas metas, es decir, mejorar el dominio de cada lengua.

✧ Reconocer cómo y cuándo se aprende, desarrollando la capacidad de autoevaluación.

✧ Participar de forma activa y consciente en los aprendizajes.

✧ Orientar la motivación, aumentar la autoestima y potenciar el desarrollo de estrategias de aprendizaje.

Cabe no olvidar que el PEL está concebido para apoyar a los cuatro objetivos políticos del Consejo de Europa: preservar la diversidad lingüística, promover la tolerancia lingüística y cultural, fomentar el plurilingüismo y asegurar la educación democrática de la ciudadanía. En consecuencia, podemos afirmar que las finalidades sociales o propósitos del PEL, como proyecto promovido por el Consejo de Europa, complementarían los del MCERL, si bien se incide sobre todo en los siguientes objetivos, que son útiles a las sociedades europeas en general, además de a cada individuo que utiliza activamente el PEL:

✧ Animar al aprendizaje de lenguas y formarse como aprendices autónomos de idiomas a lo largo de la vida.

✧ Sensibilizar sobre el aprendizaje y sobre la realidad plurilingüe y pluricultural.

✧ Facilitar la movilidad, especialmente europea, mediante una descripción clara de las competencias lingüísticas.

✧ Favorecer la tolerancia y entendimiento entre ciudadanos europeos mediante el conocimiento de otros idiomas y culturas diferentes a los propios.

¿A quién?

✧ Alumnado (tanto de enseñanza reglada como no reglada)

✧ Autodidactas: para tomar conciencia del aprendizaje, motivarse, mostrar el dominio de las lenguas…

✧ Profesorado (tanto de enseñanza reglada como no reglada): para llevar seguimiento, motivar, evaluar…

✧ Empresas: para valorar las competencias de las personas candidatas o contratadas

Partes del PEL

El PEL tiene tres secciones: el pasaporte de lenguas, la biografía lingüística y el dosier.

En el **pasaporte de lenguas** se resumen las competencias adquiridas en las diferentes lenguas. Puede incluir las capacidades, calificaciones formales, descripción de competencias lingüísticas parciales y específicas, etc., siempre atendiendo las indicaciones del MCERL en cuanto a los niveles de referencia y en cuanto a las competencias: expresión escrita, oral, interacción, compresión lectora y auditiva.

Además, el pasaporte de lenguas puede incluir las experiencias lingüísticas e interculturales más significativas y permite la autoevaluación, la evaluación por parte del profesorado y por parte de las comisiones de exámenes oficiales.

La **biografía lingüística** es el eje del trabajo en el PEL desde el punto de vista pedagógico, pues permite al titular involucrarse en la planificación, la reflexión y la evaluación de su proceso de aprendizaje y del progreso. El registro de experiencias fomenta el plurilingüismo, estimula la mejora de aquello que como aprendiz se es capaz de hacer en cada una de las lenguas y anima a seguir recogiendo información sobre las experiencias lingüísticas y culturales obtenidas dentro y fuera del contexto educativo formal.

Por su parte, el componente del PEL dedicado al **dosier** garantiza la recopilación de los trabajos realizados por el usuario en cada una de las lenguas que conoce, tanto escritos como orales, a través de grabaciones, permitiendo seleccionar materiales que ilustran y documentan los progresos o experiencias registrados en las otras secciones.

Principales diferencias entre el MCERL y el PEL y sus aplicaciones en Secundaria

Como se ha visto, el MCERL y el PEL son dos realidades muy diferentes que responden a un propósito similar: favorecer el aprendizaje de lenguas desde un enfoque comunicativo. Entre sus principales diferencias se encuentran que el MCERL es un documento común de referencia, como su nombre indica, mientras que el PEL es una estructura dinámica, que debe ser llenada de contenido por parte del individuo; estos rasgos definitorios se muestran en la tabla 1.

MCERL	PEL
Estatismo: documento de referencia (estable, pero revisable)	**Dinamismo**: documento cambiante
Común/abstracto: para todos los individuos y países	**Individual/concreto**: personal y adaptado según países

Tabla 1. Principales diferencias entre MCERL y PEL

Una de las implicaciones del MCERL y del PEL es la promoción del aprendizaje permanente. Si pensamos en un centro de secundaria, la aplicación de estos recursos y marcos debe trascender la idea tradicional de la enseñanza de lenguas como algo puntual o con objetivos a corto plazo o en asignaturas concretas, para insertarlo en una idea global de desarrollo de la competencia comunicativa plurilingüe e intercultural del alumnado a lo largo de su vida. Por ello, cuando los profesores Amando López Valero y Eduardo Encabo Fernández (2013) reflexionan sobre el MCERL, acaban abordando aspectos fundamentales en la didáctica de lengua y literatura, como son la competencia comunicativa, las habilidades lingüísticas básicas, la literacidad crítica, la competencia literaria y la didáctica de las lenguas y sus culturas, siempre desde un tratamiento integrado (pp. 107-121). Con todo, varias —y variadas— son las posibilidades de ambas iniciativas en las escuelas y, sobre todo, en los institutos (tabla 2), aunque siempre queda la pregunta de si también pueden resultar útiles para la lengua materna o en el enfoque, en general, del aprendizaje de lenguas primeras.

MCERL	PEL
Referencia para el aprendizaje de lenguas segundas o extranjeras	Dinamizar el aprendizaje y trabajar las actitudes
Concretar objetivos y criterios	Aportar evidencias para la evaluación
(Referencia para el estudiante)	Tomar conciencia del aprendizaje
Guía para el profesorado	Motivación de los estudiantes (autorreflexión, *online*, abarcador…)

Tabla 2. MCERL/PEL en un centro de Secundaria

La diversidad sociolingüística en el aula

Fuentes de diversidad

Suelen citarse cuatro variables a la hora de clasificar las diferencias entre las personas, según sean estas de naturaleza intelectual, sexual, socioeconómica o cultural.

- ✧ La capacidad intelectual: diversidad de capacidades
- ✧ Las clases sociales: diversidad social
- ✧ La naturaleza sexual de la persona: diversidad de género
- ✧ La existencia de culturas diferentes: la diversidad cultural

El siguiente capítulo se centra en cómo atender estos tipos de diversidad en los centros de Secundaria. Pero si nos centramos en la diversidad sociolingüística, vemos que las cuatro fuentes pueden influir, si bien el perfil sociocultural de cada estudiante estará determinado fundamentalmente por las lenguas que conozca, el nivel de dominio de los idiomas de instrucción y la presencia de lenguas adicionales en su contexto familiar, entre otros factores.

Conocer las relaciones existentes entre las diferentes lenguas que se hablan en la Comunitat Valenciana y mostrar la situación actual del conocimiento y uso del valenciano implica comprender las concepciones que los hablantes tienen de sus lenguas y qué grado de utilización alcanzan en cada una de ellas.

En primer lugar, cabe considerar la situación de bilingüismo social presente en nuestra comunidad, haciendo especial énfasis en los beneficios que genera, pero sin olvidar los prejuicios lingüísticos existentes entre los hablantes. Como se verá, hay diferentes situaciones y relaciones entre las lenguas presentes en una sociedad, así como variables que influyen en la configuración del perfil de los hablantes de cada lengua. Son los estudios sociodemográficos y sociolingüísticos los encargados de analizar estas realidades; en función de sus conclusiones en un territorio dado se establecerán como recomendables unos modelos de escuela y de enseñanza de lenguas u otros.

El bilingüismo en la Comunitat Valenciana

La presencia de dos lenguas cooficiales en nuestra sociedad, el valenciano y el castellano, evidencia la realidad bilingüe en que vive inmersa esta área geográfica. El hecho de pertenecer a una sociedad de este tipo nos dota de una gran riqueza lingüística a la vez que nos nutre con las diferentes aportaciones culturales.

Paulatinamente, las sociedades actuales avanzan hacia un conocimiento profundo de sus distintas realidades lingüísticas y culturales. Integrar toda esta variabilidad implica llevar a cabo acciones que promuevan el reconocimiento y la valoración de todos los grupos étnicos y lingüísticos. Esto contribuye a crear sociedades más plurales, donde la diversidad es considerada como fuente de riqueza.

La actual tendencia de valorar las sociedades bilingües se ve acentuada por el conocimiento que han aportado los diferentes estudios sobre los beneficios de la utilización de dos o más lenguas. Entre otras cosas, sirven para agilizar el cerebro, evitar enfermedades degenerativas y hacer a las personas más tolerantes y cultas.

No obstante, a pesar de todas estas ventajas, no siempre el bilingüismo social es percibido de forma provechosa por la totalidad de la ciudadanía. Como veremos, existe gran cantidad de prejuicios lingüísticos entre los hablantes, con los que se establecen actitudes negativas hacia la igualdad entre las dos lenguas, sus funciones, su estudio y su presencia social.

Variables que influyen en el conocimiento y uso de la lengua

Para conocer en profundidad la situación sociolingüística de la Comunitat Valenciana, es necesario comprender las diferentes variables que determinan el nivel de conocimiento de la lengua y su uso. Algunas de estas son la edad, los ámbitos de uso, la provincia de residencia o la ideología política.

Asimismo, es importante señalar que el grado de conocimiento de la lengua puede ser muy variable en función de las habilidades comunicativas que se posean. Podríamos decir que no existe el bilingüismo perfectamente equilibrado, pues no se es exactamente igual de eficaz al comunicarse en una lengua o en otra en absolutamente todos los contextos. Por lo tanto, a la hora de clasificar a los sujetos tendremos que analizar si son capaces de desenvolverse en diferentes contextos y si dominan las destrezas receptivas y productivas, la oralidad y la literacidad (Huguet y Maradiaga, 2005).

(1) Edad

La distribución por edades de los hablantes de cada lengua es bastante variable. En cuanto al conocimiento de la lengua, existe una tendencia mayor a saber hablar valenciano entre los adultos. Sin embargo, si nos fijamos en la escritura y el correcto uso de la lengua, observamos que hay una predominancia mayor entre jóvenes.

Este hecho se debe a la relativamente reciente inclusión del valenciano en los programas de estudio, lo que ha llevado a que los individuos más jóvenes, incluso los castellanoparlantes, tengan mayor competencia en las destrezas lingüísticas básicas. Aquí es fundamental mencionar la labor de la Llei d'Ús i Ensenyament del Valencià que se decretó en 1983 para incluir progresivamente el aprendizaje de esta lengua en los sistemas educativos. Otro papel importante en su promoción lo juegan las diferentes instituciones adscritas a la Generalitat que protegen, garantizan y promocionan el uso del valenciano como la Acadèmia Valenciana de la Llengua (AVL) o la Junta Qualificadora de Coneixements de Valencià (JQCV). La primera, con función normativizadora, tiene como objetivo determinar y elaborar la normativa lingüística del valenciano, mientras que la segunda tiene la función de establecer y efectuar las pruebas para la acreditación de conocimientos en esta lengua.

(2) Zona geográfica

En relación con la zona geográfica, en líneas generales se observa una mayor presencia del valenciano en las áreas rurales, mientras que en las metropolitanas predomina el castellano. Asimismo, también existe una desigual distribución del nivel de competencia lingüística en función de la provincia y, sobre todo, de las comarcas, ya que hay unas en las que el predominio lingüístico es el valenciano y en otras el castellano. Esto se corresponde con la lengua tradicional histórica de la gente que allí habita.

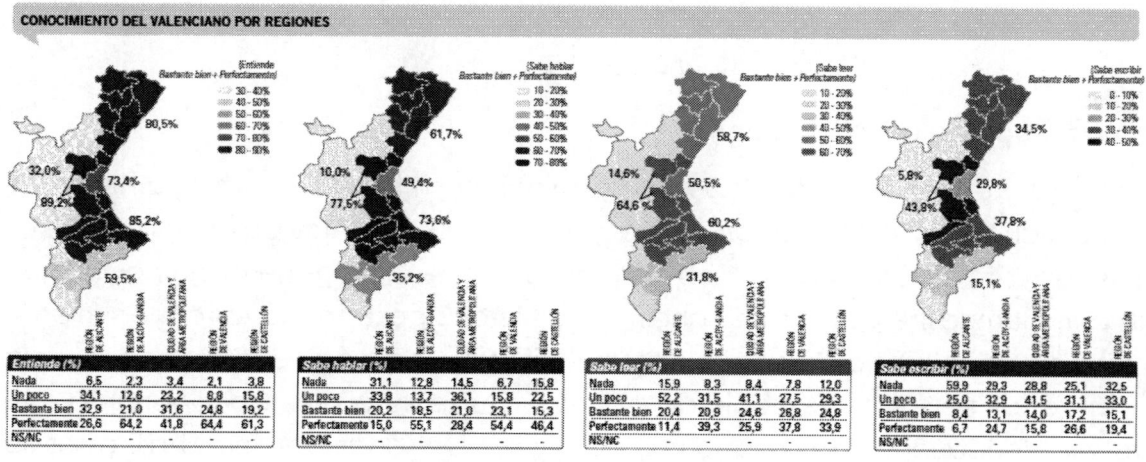

Figura 1. Conocimiento del valenciano por regiones 2011
Fuente: Encuesta «Conocimiento y uso social del valenciano» (Generalitat Valenciana, 2011)

A partir del mapa elaborado por la encuesta de «Conocimiento y uso social del valenciano», se puede observar fácilmente como, cuanto más al sur y al interior de la Comunitat Valenciana, más decrece el uso porcentual del valenciano (figuras 1 y 2).

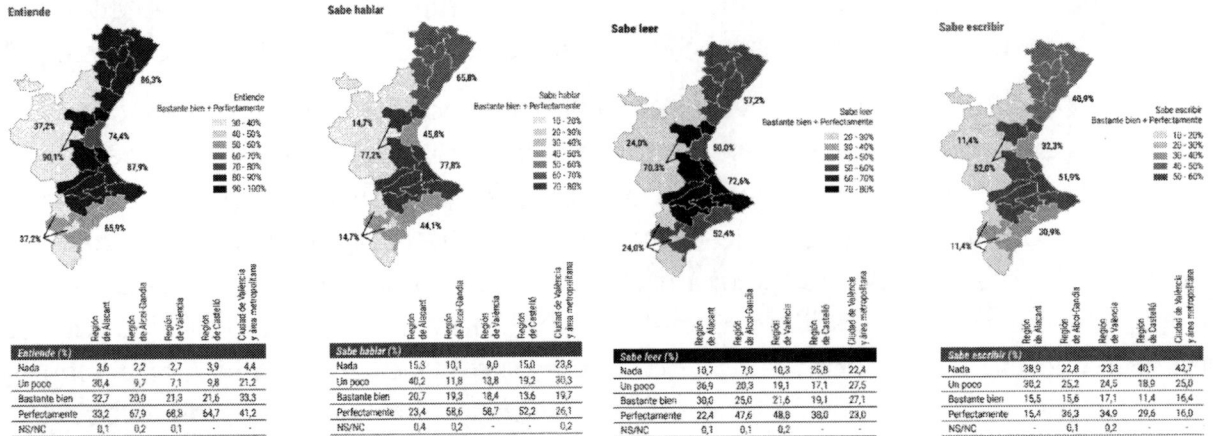

Figura 2. Conocimiento del valenciano por regiones 2016
Fuente: Encuesta «Conocimiento y uso social del valenciano» (Generalitat Valenciana, 2016)

(3) Ámbitos de uso

Otra realidad a la que el valenciano tiene que hacer frente es la reducción en su uso que a menudo se hace según los contextos, y que frecuentemente lo convierte para algunas personas en una lengua utilizada solamente en ámbitos familiares y nunca en registros formales. Esto es fruto de actitudes lingüísticas de autoodio, a menudo inconscientes, aumentadas por la inercia de nuestra sociedad que, manteniéndose en las líneas de actuación preconstitucionales, mantiene esta concepción errónea que en su tiempo venía justificada por la prohibición de su uso por la dictadura y la inexistencia de una lengua estandarizada y correcta gramatical y ortográficamente.

En este aspecto, tienen una gran importancia los gobiernos porque son ellos los que, mediante políticas adecuadas, han de promover la utilización del valenciano en todos los ámbitos de uso.

(4) Ideología política de los hablantes

Otra variable significativa podría ser la ideología política de los hablantes, que guarda estrecha relación con su opinión acerca de las diferentes políticas lingüísticas que se llevan a cabo. Sin embargo, en contraposición al sentir general, no hay ningún estudio que demuestre que las personas de izquierdas posean mayor conocimiento del valenciano que las de derechas. Según el estudio sociológico de Ariño y García (2001), entre las personas de izquierdas, el 66 % se declara castellanoparlante y el 32 % valencianoparlante. Por lo que respecta a las personas de derechas, estas se identifican como castellanoparlantes en un 60 % frente a un 39 % de valencianoparlantes.

Identidad del valenciano: ¿lengua o dialecto?

La consideración sobre la identidad del valenciano como lengua propia o como dialecto del catalán es un tema peliagudo en la sociedad valenciana, dado que mezcla, por una parte, elementos políticos con lingüísticos y, por otra, cuestiones científicas con otras relacionadas con la percepción del hablante.

El término *lengua*, en su uso científico, se opone al de dialecto, de modo que se puede afirmar, según una concepción filológica, que el valenciano es un dialecto que forma parte de un tronco lingüístico común al que pertenecen también el dialecto balear y el oriental; entre todos ellos constituyen la lengua catalana. Sin embargo, si entendemos el concepto de *lengua* como variedad lingüística que el hablante siente como diferenciada de otras variedades, es amplio el porcentaje de hablantes que identifican como lengua diferenciada el valenciano frente al catalán (Agulló, 2011). No obstante, la asunción de una u otra perspectiva está relacionada generalmente con cuestiones ideológicas o contextuales; por ejemplo, mientras en la universidad y en la mayoría de contextos académicos se sienten como realidades de una misma lengua y realmente se camina hacia la unidad lingüística, algunos partidos políticos o asociaciones culturales hacen de la defensa del valenciano como lengua diferente al catalán su caballo de batalla.

Diglosia

La reflexión sobre la situación sociolingüística en la Comunitat Valenciana conduce a concluir que la presencia de las lenguas cooficiales en la sociedad se encuentra en situación de diglosia, que en parte se puede explicar por la actitud de sus hablantes hacia ellas.

Ante ello, resulta necesario prestar especial atención al conflicto lingüístico fruto del contacto de lenguas, fomentando actitudes positivas hacia el proceso de normalización de la lengua minorizada, para evitar que el desenlace de dicho conflicto acabe con un fenómeno de sustitución lingüística del valenciano por el castellano. Hemos visto como en este proceso, a pesar de que en los últimos años se ha compensado con ciertas políticas lingüísticas, todavía queda mucho por hacer hasta alcanzar una igualdad social entre las dos lenguas que garantice el derecho a utilizar ambas indistintamente.

Cabe señalar, por último, la importancia de seguir investigando sobre los usos lingüísticos y la percepción social del valenciano entre la población. Ampliar la información y los estudios sobre su situación es necesario para diseñar y poner en marcha políticas públicas que, optimizando recursos, busquen profundizar en su potenciación y recuperación.

Las actitudes lingüísticas

Existe una relación de mutua determinación de la actitud que muestra un individuo hacia la lengua que aprende con el propio proceso de aprendizaje (Huguet i

Madariaga, 2005; Janés, 2006), de manera que se ha demostrado que las actitudes positivas facilitan la adquisición y que, en sentido inverso, también la actitud mejora a medida que se aprende una lengua.

A pesar de las ventajas que una mente bilingüe presenta respecto de una monolingüe y que se han demostrado teórica y empíricamente, no siempre el bilingüismo social es percibido como una realidad positiva. Como hemos avanzado arriba, son las creencias estereotipadas infundadas las que configuran los prejuicios lingüísticos que desembocarán en actitudes negativas hacia la lengua minorizada y que explican la desigualdad entre las dos lenguas, en cuanto a sus funciones, su estudio y su presencia social. Muchos de estos prejuicios se encuentran muy arraigados —con matices incluso no plenamente conscientes—, dificultando el proceso de normalización de ambas lenguas y, en especial, del valenciano. Algunos ejemplos de prejuicios intralingüísticos e interlingüísticos sobre el valenciano que recoge Suay (2011) serían los siguientes:

◇ La consideración de que el valenciano es una lengua que sirve para poco, ya que no se puede utilizar para comunicarse más allá de sus límites territoriales.

◇ La idea de que es complicada de aprender por la dificultad de sus normas ortográficas y gramaticales.

◇ La percepción de su escasa presencia social: creer que no se utiliza en los contextos formales, en la administración, en los medios de comunicación, etc.

◇ La creencia de que puede generar interferencias o errores en el proceso de adquisición del castellano.

Entre las ideas que influyen a los hablantes en el uso de un idioma u otro, e incluso de una forma u otra de una misma lengua, hay prejuicios gramaticales, ortográficos, léxicos, como el famoso dilema entre las formas «este» y «aquest» (Lacreu, 2016). La pervivencia de este tipo de prejuicios en la sociedad hace imperante la necesidad de prevenir o mitigar su aparición en los ciudadanos del futuro, que son los niños, niñas y adolescentes de hoy, mediante el fomento explícito de actitudes lingüísticas positivas desde la escuela.

En este sentido, se prevé que el currículo de la ESO de Lengua Castellana y Literatura que se derive de la LOMLOE (2020) priorizará la diversidad lingüística y la reflexión interlingüística, de manera que no se centre solo en el español, sino que se abra a las lenguas cooficiales para favorecer actitudes lingüísticas libres de prejuicios. En la Comunitat Valenciana, se aprenderían así fórmulas básicas —saludos, agradecimientos, disculpas, despedidas— en gallego y en euskera, e incluso en lengua de signos.

Según el borrador del Ministerio de Educación que ha analizado Olga R. Sanmartín (2021), también se buscará «favorecer un uso ético del lenguaje que ponga las palabras al servicio de la convivencia democrática, la resolución dialogada de los conflictos y la construcción de vínculos personales y sociales basados en el respeto y la igualdad de derechos de todas las personas». Y se añade:

La primera de las competencias específicas de la materia se orienta al reconocimiento de la diversidad lingüística y dialectal del entorno, de España y del mundo con el propósito de favorecer actitudes de aprecio a dicha diversidad, combatir prejuicios y estereotipos lingüísticos y estimular la reflexión interlingüística.

Aunque se ha criticado que esto puede implicar anteponer la diversidad lingüística a la comprensión lectora, la comunicación oral o la expresión escrita, lo cierto es que hay tiempo para todo si se combina en secuencias didácticas adecuadas. Además, puede resultar muy positivo también intralingüísticamente, dado que la variedad dialectal del propio español también es una fuente creciente de discriminación que debe ser combatida, para que el alumnado de cualquier área geográfica —y esto es algo que también se incluye en el currículo de Primaria— pueda valorar nuestro idioma como una «lengua universal y policéntrica, con una enorme diversidad dialectal»:

Ninguna de sus variedades geográficas ha de ser considerada más correcta que otra, ya que cada una de ellas tiene su norma culta. [...] la diversidad lingüística constituye una característica fundamental de España, donde se hablan varias lenguas y sus respectivos dialectos.

Los programas de educación plurilingüe y el tratamiento integrado de lenguas

En una sociedad con dos lenguas, el modelo educativo puede marginar a la minorizada o aceptarla. Si la margina, simplemente esta lengua no se aborda en la escuela, pero también puede aceptarla solo como asignatura, lo que desemboca en un modelo de educación en el fondo también monolingüe. Únicamente en los casos donde ambas lenguas son contempladas como vehiculares podemos hablar de educación bilingüe. Ahora bien, es posible que este uso como lengua de instrucción se reserve a los hablantes de la misma, bien como transición hacia un dominio suficiente de la otra lengua que les permita abandonar la minorizada como lengua vehicular, bien como medida educativa para mantener su lengua materna y no perderla. Finalmente, la tercera posibilidad de asunción de la lengua minorizada en la escuela es la que apuesta por ofrecerla también a quienes tienen como materna la lengua dominante, de manera que puedan ver enriquecidos sus conocimientos lingüísticos con el uso y aprendizaje de la otra lengua presente en su entorno, la minorizada.

Estos tres últimos modelos son los que propiamente pueden ser denominados modelos de educación bilingüe, si bien la función e implicaciones de cada uno son bien diferentes.

Modelos de educación bilingüe

✧ Compensatorio o de transición
✧ De mantenimiento
✧ De enriquecimiento

Frente a la limitación del valenciano como área en todas las etapas —Educación Infantil (EI), Educación Primaria (EP), Educación Secundaria Obligatoria (ESO) y Bachillerato—, hasta 2009 los modelos de educación bilingüe en la Comunitat Valenciana fueron los siguientes:

- ✧ Programa de inmersión lingüística (PIL): para EI y EP
- ✧ Programa de enseñanza en valenciano (PEV): para EI, EP, ESO y Bach.
- ✧ Programa de incorporación progresiva (PIP): para EI, EP, ESO y Bach.

Este diseño se apoya en un marco legal que se ha ido desarrollando desde la *Constitución Española* (1978), de las que están vigentes las siguientes leyes (se marcan algunas entre corchetes porque han sido modificadas o derogadas, aunque siguen parcialmente en vigencia):

- ✧ Estatuto de Autonomía (Ley Orgánica 1/2006, de 10 de abril, de Reforma de Ley Orgánica 5/1982, de 1 de julio)
- ✧ Llei d'Ús i Ensenyament del Valencià (Llei 4/1983) ☐ Decreto 79/1984, de 30 de julio, sobre la aplicación de la Ley 4/1983, de Uso y Enseñanza del Valenciano.
- ✧ [LOE (Ley Orgánica 2/2006)]
- ✧ [LOMCE (Ley Orgánica 8/2013)]
- ✧ LOMLOE (Ley Orgánica 3/2020)

Respecto a las lenguas del Estado Español, la *Constitución Española* (1978) recoge en su artículo tercero tres puntos de importancia crucial:

1. El castellano es la lengua oficial del Estado. Todos los españoles tienen el deber de conocerla y el derecho a usarla.

2. Las demás lenguas españolas serán también oficiales en las respectivas Comunidades Autónomas de acuerdo con sus Estatutos.

3. La riqueza de las distintas modalidades lingüísticas de España es un patrimonio cultural que será objeto de especial respeto y protección.

De acuerdo con esto, en el *Estatut d'Autonomia de la Comunitat Valenciana* (Llei Orgànica 1/2006, art. 6), se especifica lo siguiente:

1. La lengua propia de la Comunitat Valenciana es el valenciano.

2. El idioma valenciano es el oficial en la Comunitat Valenciana, al igual que lo es el castellano, que es el idioma oficial del Estado. Todos tienen derecho a conocerlos y a usarlos y a recibir la enseñanza del, y en, idioma valenciano.

3. La Generalitat garantizará el uso normal y oficial de las dos lenguas, y adoptará las medidas necesarias para asegurar su conocimiento.

4. Nadie podrá ser discriminado por razón de su lengua.

5. Se otorgará especial protección y respeto a la recuperación del valenciano.

6. La ley establecerá los criterios de aplicación de la lengua propia en la Administración y la enseñanza.

7. Se delimitarán por ley los territorios en los que predomine el uso de una y otra lengua, así como los que puedan ser exceptuados de la enseñanza y del uso de la lengua propia de la Comunitat Valenciana.

8. L'Acadèmia Valenciana de la Llengua es la institución normativa del idioma valenciano.

Respecto a la consideración del valenciano como lengua vehicular en los ámbitos social y educativo, cabe destacar los artículos 2 y 19 de la *Llei d'Ús i Ensenyament del Valencià* (Llei 4/1983), promulgada un año después que el Estatuto de Autonomía:

> El valencià és llengua pròpia de la Comunitat Valenciana i, en conseqüència, tots els ciutadans tenen dret a conéixer-lo i a usar-lo oralment i per escrit tant en les relacions privades com en les relacions amb les instàncies públiques
>
> [...]
>
> 1.Hom procurarà en la mesura de les possibilitats organitzatives dels centres, que tots els escolars reben els primers ensenyaments en llur llengua habitual, valencià o castellà
>
> 2. [...] al final dels cicles en què es declara obligatòria la incorporació del valencià a l'ensenyament, i qualsevol que haja estat la llengua habitual en iniciar els estudis, els alumnes han d'estar capacitats per a utilitzar, oralment i per escrit, el valencià en igualtat amb el castellà.

En resumen, siete son las implicaciones de esta ordenación legal en el sistema educativo valenciano:

- ✧ El valenciano es lengua propia de la Comunitat Valenciana.
- ✧ El aprendizaje del valenciano es obligatorio en el sistema educativo valenciano.
- ✧ Todo el alumnado debe alcanzar un dominio semejante de las dos lenguas oficiales al terminar la escolaridad obligatoria.
- ✧ La organización pedagógica del sistema educativo debe garantizar ese logro.
- ✧ El sistema educativo debe extender el uso del valenciano como lengua de instrucción.
- ✧ Todo el profesorado debe conocer las dos lenguas oficiales.
- ✧ La Administración educativa debe garantizar profesorado competente suficiente para que cada centro pueda impartir el proyecto educativo que haya determinado.

Necesidades detectadas

En los años posteriores a la *Llei d'Ús i Ensenyament del Valencià*, Pascual y Sala (1991a; 1991b) ya proponían modelos educativos del llamado bilingüismo «enriquecido». Varias décadas más tarde, el propio Vicent Pascual (2006a) publica *L'escola valenciana. Un model d'Educació plurilingüe i intercultural per al sistema educatiu valencià*, donde se valoran los programas PIL, PEV y PIP, aportando un análisis de resultados, y se abordan cuestiones como la urgencia de dar respuesta a nuevas necesidades a través del plurilingüismo, se reflexiona sobre cómo abordarlo en las escuelas y se proponen nuevos modelos metodológicos, como el tratamiento integrado de lenguas (TIL) o el tratamiento integrado de lenguas y contenidos (TILC).

Así, se concibe la educación plurilingüe como un modelo educativo centrado en la adquisición de una competencia plurilingüe en las lenguas de escolarización —las propias del territorio (valenciano y castellano) y una o dos lenguas extranjeras— mediante su uso vehicular, desde la concepción de que ser plurilingüe no es sumar tres o más lenguas, sino presentar una competencia dinámica en ellas que evoluciona constantemente gracias a experiencias lingüísticas personales.

Partiendo de este tipo de reflexiones, y las que se sucedieron respecto de la necesidad de potenciar el plurilingüismo con otro tipo de medidas (Pascual, 2011; 2013), el marco legal resultante nos dejó la red de centros plurilingües, por Orden 19/2011 de 5 de abril de la Conselleria d'Educació, y el Decreto 127/2012, que regula el plurilingüismo en la enseñanza no universitaria. El objetivo del decreto es asegurar, al finalizar la educación obligatoria, la adquisición por parte del alumnado de una competencia lingüística equiparable en valenciano y en castellano, así como el dominio funcional del inglés. En consecuencia, se decretan nuevos programas de educación plurilingüe:

♦ (Programa experimental plurilingüe [desde 2009]: con el 80 % en inglés)
♦ Programa plurilingüe de enseñanza en valenciano (PPEV): con castellano e inglés como materia y vehiculares en mínimo otra más
♦ Programa plurilingüe de enseñanza en castellano (PPEC): con valenciano e inglés como materia y vehiculares en mínimo otra más

Escola Valenciana, con Vicent Pascual como uno de sus representantes más activos, consideró que con este panorama quedaban todavía nuevas necesidades por cubrir, además de que retomaba la necesidad de educar también la competencia intercultural (Pascual, 2011; 2013; 2016). Desde esta línea de especialistas en educación lingüística se detecta, por ejemplo, que si desaparecen los PIL no se garantiza una competencia lingüística igual en valenciano y en castellano, dado que el PPEC es considerado menos efectivo en la adquisición de la competencia equitativa en las dos lenguas cooficiales, además de que no garantiza un dominio funcional de la lengua extranjera.

Estas consideraciones fueron tenidas en cuenta en la redacción del Decreto 9/2017, de 27 de enero, del Consell, por el que se establece el modelo lingüístico educativo valenciano y se regula su aplicación en las enseñanzas no universitarias de la Comunitat Valenciana (Conselleria d'Educació, Investigació, Cultura i Esport, 2017). El decreto, actualmente derogado, era de aplicación para todas las etapas educativas desde Educación Infantil hasta Bachillerato, y también para la educación de adultos. El planteamiento de este nuevo orden legal generó un intenso debate en el seno de la sociedad valenciana, entre quienes lo defendían como garantía de enriquecimiento lingüístico y avance hacia una sociedad realmente plurilingüe y quienes lo criticaron por coartar la libertad de elección de las lenguas de instrucción por parte de las familias. La razón principal de la crítica se fundamentaba en que el decreto establecía tres únicos programas relativamente poco flexibles para las escuelas:

✧ Básico (1 y 2) (mayoritariamente en castellano)
✧ Intermedio (1 y 2)
✧ Avanzado (1 y 2) (mayoritariamente en valenciano e inglés)

Como consecuencia, se interpusieron diversas demandas que el Tribunal Superior de Justicia de la Comunitat Valenciana siguió resolviendo aun después de que el Consell derogara el decreto en diciembre de 2017.

Marco legal actual

Les Corts Valencianes aprobaron, el 14 de febrero de 2018, la Ley 4/2018 de Plurilingüismo (Presidència de la Generalitat, 2018), que se implantó en Educación Infantil y primer ciclo de Educación Primaria en el curso 2018-2019, en el resto de la Primaria y en educación especial al curso siguiente, y, finalmente, en 2020-2021 estaba previsto que llegara a ESO, Bachillerato, formación profesional y formación de personas adultas.

Con la Ley 4/2018, se instauró el programa de educación plurilingüe e intercultural (PEPLI), que pretende asegurar que el alumnado alcance como mínimo las siguientes competencias orales y escritas del MCERL:

✧ Al acabar las enseñanzas obligatorias: nivel de valenciano y castellano equivalente al B1 y el equivalente al A1 de la primera lengua extranjera.
✧ Al acabar las enseñanzas posobligatorias no universitarias: nivel de valenciano y castellano equivalente al B2 y el equivalente al A2 de la primera lengua extranjera.

Para ello, se requiere que cada centro diseñe su plan de actuación lingüística, dentro de los límites de plurilingüismo que establece la Ley 4/2018. En el caso de la enseñanza obligatoria (Primaria y Secundaria), los idiomas oficiales de la Comunitat Valenciana deben estar presentes como lenguas vehiculares en un mínimo del 25 % y un máximo del 60 % de las clases, lo que equivale a ofrecer como obligatoria al menos una asignatura troncal no lingüística en cada idioma, aparte de las respectivas materias de castellano y valenciano propiamente dichas. Asimismo, se debe ofertar entre un 15 % y un 25 % de las clases en la primera lengua extranjera, es decir, una asignatura troncal o no troncal además de la propia asignatura de inglés, o la lengua que se estudie en el centro.

Respecto a las lenguas extranjeras, estas deben ocupar un mínimo del 10 % de las horas lectivas desde el segundo ciclo de Educación Infantil (además de garantizar la presencia simultánea del castellano y del valenciano), y a partir de ESO los centros deben ofrecer obligatoriamente una optativa de segunda lengua extranjera.

Como veremos a continuación, todos estos aspectos, entre otros, deben aprobarse y quedar reflejados en el proyecto lingüístico de centro (PLC).

Documentos de organización del centro que articulan el PEPLI

A partir de 2018, cada centro educativo debe concretar su concepción particular del PEPLI a lo largo de los cursos que se imparten en el proyecto lingüístico de centro (PLC) —que sería el documento equivalente al derogado diseño particular del programa (DPP)—: «el proyecto lingüístico de centro concreta en cada centro educativo la organización de la enseñanza y el uso vehicular de las lenguas, la normalización del valenciano y el fomento del plurilingüismo, teniendo en cuenta las características propias del centro y el contexto donde se ubica» (Presidencia de la Generalitat, 2018, p. 7864).

Así, el PLC articula y concreta la aplicación del PEPLI de acuerdo con las características de la escuela o instituto y de su alumnado, garantizando homogeneidad en cada curso y siempre dentro de los límites del PEPLI. El diseño debe ser coherente con el proyecto educativo de centro (PEC), en la medida en que el PLC forma parte del PEC, así como con el plan de normalización lingüística (PNL), que es una de las partes del PLC, como se verá en el siguiente apartado.

Todo debe quedar reflejado en la programación general anual (PGA). La distribución sería la que se muestra en la tabla 3:

	PEC **(Proyecto educativo de centro)**	PGA **(Programación general anual)**
Enseñanza	Proyecto lingüístico de centro (PLC)	Situación anual del DPP
Uso	Plan de normalización lingüística (PNL) Plan de normalización lingüística anual (PNLA)	Evaluación del PNL del año precedente

Tabla 3. Documentos de los centros educativos donde se recoge el PEPLI

El tratamiento integrado de lenguas

El tratamiento integrado de lenguas (TIL) es una propuesta de Pascual (2006a; 2006b) que pretende abordar de manera óptima y efectiva la enseñanza de lenguas en el sistema educativo. Se basa en los siguientes presupuestos:

◇ La mente del sujeto bilingüe es la misma: gestiona, organiza y utiliza las distintas lenguas dependiendo de varios factores.

◇ Existe un fondo lingüístico común con cuyo material esa persona piensa, se relaciona, habla, escribe, lee y escucha.

◇ Es necesario evitar tratamientos separados o independientes de las lenguas con el mismo alumnado.

El TIL supone un enfoque complejo que implica un cambio global de planteamientos didácticos y metodológicos. Abarca:

◇ La organización del sistema educativo.

✧ La gestión educativa del centro.
✧ El diseño y el desarrollo del currículum.
✧ Un planteamiento didáctico diferencial.
✧ Una coordinación exquisita entre el profesorado.

Afecta fundamentalmente a las asignaturas lingüísticas, y su objetivo es establecer una base didáctica común, así como la unificación de criterios. Se parte del concepto de lengua como instrumento comunicativo que se ha de desarrollar, no solo como el código: se priorizan las habilidades y estrategias discursivas. Aun así, su aplicación supone en la realidad valenciana diversos problemas y dificultades (Guasch, 2008; 2010):

✧ Poca tradición de colaboración entre el profesorado de educación secundaria.
✧ Distintas concepciones sobre la metodología de la educación lingüística.
✧ Creencias equivocadas acerca del plurilingüismo como suma de monolingüismos.
✧ Olvido de que los aprendices de la lengua primera (L1) y la segunda (L2) son los mismos.
✧ Políticas inadecuadas y prejuicios lingüísticos de carácter ideológico acerca del plurilingüismo o el bilingüismo.
✧ Falta de materiales pertinentes para la intervención en el aula.
✧ Falta de instrumentos teóricos.

No obstante, y como se ha visto parcialmente en un apartado anterior, una novedad del currículo mínimo de Lengua Castellana y Literatura que se decretará como consecuencia de la reciente aprobación de la LOMLOE (2020), según el borrador del Ministerio de Educación, es que permitirá que se impartan «de manera conjunta» los «contenidos referidos a estructuras lingüísticas que puedan ser compartidos por varias lenguas en un mismo curso» (cit. en Sanmartín, 2021).

Ámbitos de acuerdos intra- e interdepartamentales

En lo que respecta al profesorado de Lengua Castellana, debe haber una implicación y compromiso por establecer acuerdos departamentales que establezcan dinámicas enriquecedoras y aseguren la coherencia entre asignaturas en el tratamiento de los contenidos lingüísticos:

✧ Intercambio de ideas y opiniones.
✧ Profunda revisión de aspectos relativos a la docencia de las lenguas.
✧ Uniformidad terminológica.
✧ Uniformidad conceptual.
✧ Uniformidad metodológica.
✧ No repetición de contenidos comunes (optimización del tiempo).
✧ Propuesta de ejes secuenciadores.

Algunos aspectos sobre los que se podrían tomar acuerdos entre el área de Valencià y la de Castellano, producto de reuniones de coordinación y voluntad de consenso entre los docentes implicados, podrían ser los siguientes:

Secuenciación temporal
   ✧ Cronograma sincronizado
Expresión oral
   ✧ Fomentarla en igualdad de condiciones
Morfología
   ✧ Uso del adjetivo
   ✧ Hacer referencia a otra lengua
Léxico
   ✧ Comparar aspectos
   ✧ Clases de palabras
   ✧ Vocabulario del mismo tema en ambas lenguas
   ✧ Comparar aspectos idiomáticos de ambas lenguas
Ortografía
   ✧ Impartir ciertas reglas de forma simultánea y otras, de manera secuenciada
Sintaxis
   ✧ Análisis
   ✧ Relaciones sintácticas
   ✧ Simplificar contenidos
   ✧ Explicar contenidos en una lengua y reforzarlos en la otra
Esquema de la comunicación
   ✧ Mismos modelos
Tipología textual
   ✧ No repetición teórica
   ✧ Trabajar el mismo módulo de comprensión de texto
   ✧ Repartir tipos de texto
Géneros discursivos
   ✧ Distribución entre asignaturas
Lecturas literarias
   ✧ Coordinación en la selección de lecturas obligatorias
   ✧ Coordinar el género que se lee en cada trimestre
Literatura
   ✧ Épocas
   ✧ Hacer comparaciones de textos similares
   ✧ Recitar de poesía
Corrientes artísticas
   ✧ Relatos de fronteras
Proyectos comunes
   ✧ Obra de teatro
   ✧ Periódico
Situaciones conflictivas

✧ Actitudes lingüísticas

Finalmente, para una vinculación de las lenguas y tradiciones populares del territorio propio y la educación literaria, un proyecto muy interesante es el de las Geografías Literarias (Bataller y Hernández Gassó, 2014; Bataller, Hernández Gassó y Martín Ezpeleta, 2017), que conviene enfocar conjuntamente desde los presupuestos del TIL cuando estamos ante una realidad bilingüe del entorno, como es el caso de la Comunitat Valenciana.

El tratamiento integrado de lenguas y contenidos

El tratamiento integrado de lenguas y contenidos (TILC) es una forma de organización del currículo educativo basada en la educación plurilingüe. La denominación «Tractament Integrat de les Llengües i els Continguts» la propuso Pascual (2006b, p. 23) como una derivación lógica del TIL, que más tarde (2008) definió como el «tractament dels continguts d'una o més disciplines no lingüístiques —ciències, història, matemàtiques, educació artística...— conjuntament amb els recursos lingüístics adequats per a aprendre'ls d'una o més llengües». En realidad, esta metodología de educación plurilingüe surge en varios países al mismo tiempo, y desde principios del siglo XXI comienza a extenderse en toda Europa, con gran aceptación por parte del profesorado y las administraciones educativas y marcando un giro en el camino hacia la educación plurilingüe. Este modelo recibe nombres diferentes según el ámbito geográfico, aunque en realidad, el último acrónimo es el más extendido internacionalmente:

✧ Ámbito autonómico: TILC (*tractament integrat de llengua i continguts*)
✧ Ámbito nacional: AICLE (aprendizaje integrado de contenidos y lenguas extranjeras)
✧ Ámbito francés: EMILE (*enseignement d'une matière par l'intégration d'une langue étrangère*)
✧ Ámbito aglófono: CLIL (*content and language integrated learning*)

En la Comunitat Valenciana, Vicent Pascual es uno de los mayores promotores de este sistema de educación plurilingüe, cuya historia, referentes y procedimientos explicó él mismo en uno de los congresos de la Sociedad Española de Didáctica de la Lengua y la Literatura (SEDLL) (Pascual, 2016).

Referentes teóricos para fundamentar la metodología TILC

Los programas de educación plurilingüe se fundamentan en las ideas más actuales sobre el aprendizaje de lenguas, como que cada una de las lenguas que domina una persona bilingüe o plurilingüe no se aprende por separado, pues hay conocimientos y destrezas que una vez aprendidos en una lengua están disponibles para las otras. Además, cada aprendiz, al aprender una nueva lengua, se basa en la estructura y las características de la lengua que ya sabe.

El uso de cualquier lengua implica la puesta en marcha de unas estrategias que permiten activar las competencias generales y comunicativas necesarias para la realización de cualquier acto comunicativo asociado a las situaciones que se presentan en los diferentes ámbitos de la vida. De hecho, los actos comunicativos se construyen a partir de acciones de interacción oral y escrita, así como de producción y recepción de textos orales, escritos y audiovisuales. Por ello, con metodologías que consideran estas realidades se consigue desarrollar una serie de competencias interrelacionadas que constituyen la competencia comunicativa plurilingüe, y que se concreta en el uso funcional y académico de todas las lenguas a lo largo de la educación obligatoria.

Veamos en qué teorías concretamente se fundamenta la metodología CLIL y dónde se originaron algunas de las mencionadas concepciones respecto del aprendizaje de lenguas.

Taxonomía del aprendizaje

Fue elaborada por Benjamin Bloom (1956) y revisada, entre otros, por Anderson y Krathwohl (2001) (figura 3).

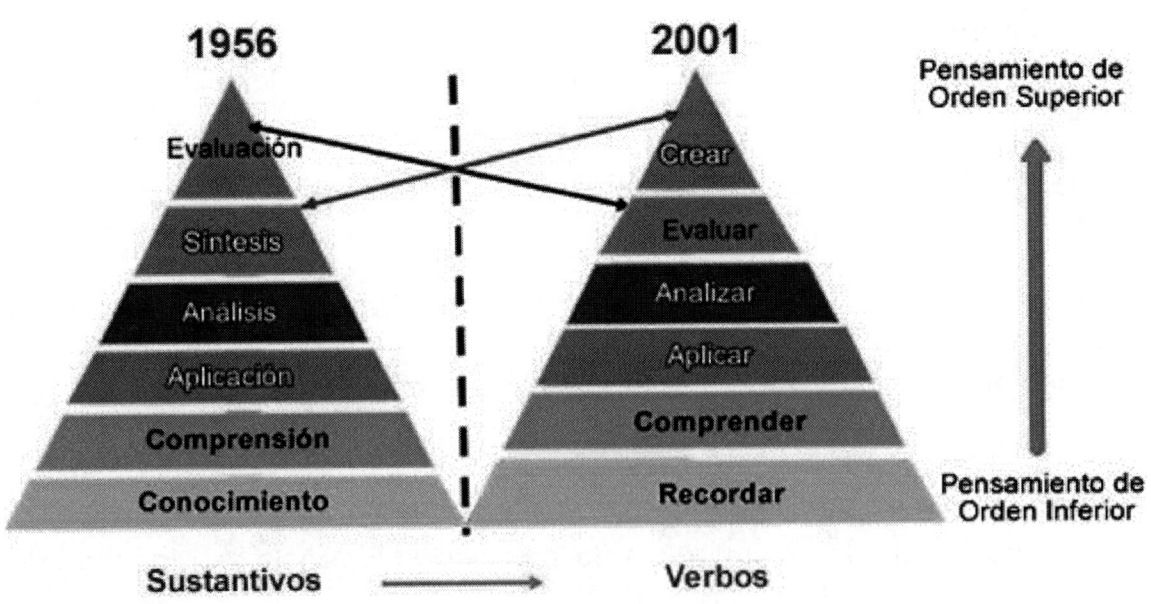

Figura 3. Taxonomía del aprendizaje
Fuente: adaptada de Anderson y Krathwohl (2001)

Esta teoría sirve para evaluar el nivel de conocimiento adquirido en un área, distinguiendo entre la complejidad de las habilidades que se poseen. La taxonomía se suele representar en forma piramidal, de manera que la base albergaría los procesos más simples (de orden inferior) y la cúspide los más complicados o avanzados (orden superior). Ello permite jerarquizar los procesos cognitivos y facilitar las labores de evaluación, pero también es útil para diseñar las actividades de aprendizaje. La metodología por proyectos podría ser una de las que mejor consiguen llevar esta teoría a la práctica.

Posteriormente, Churches (2009) lo adaptó al aprendizaje digital. Su actualización tiene en cuenta los nuevos comportamientos, acciones y oportunidades de aprendizaje que surgen a medida que la tecnología avanza y las experiencias son ubicuas. Al dominio cognitivo de la taxonomía de Bloom, tanto la original como la revisada, se prioriza ahora la calidad de la acción o proceso: el aprendizaje puede iniciarse en cualquier punto, donde los niveles taxonómicos más bajos se irán acompasando con las tareas que supongan retos para afrontar «con ayuda». Aquí es donde impacta la colaboración en sus diversas formas, incluidas las digitales, que se convierten en medios o herramientas para recordar, comprender, aplicar, analizar, evaluar, etc.

Inteligencias múltiples de Gardner

Este modelo de pensamiento fue inaugurado por Howard Gardner (1983) y parte de la diversidad de capacidades y habilidades que presentan las personas en función de factores biológicos, personales y socioculturales:

- ✧ Inteligencia lingüística-verbal. Supone un desarrollo eficiente de la función del lenguaje, donde predominan las destrezas para leer, escribir y comunicarse de forma oral. Esta inteligencia está muy desarrollada en personas que se dedican a la literatura, periodismo, oratoria, entre otras.
- ✧ Inteligencia lógico-matemática. Implica capacidad para abordar problemas abstractos relacionados con cuestiones matemáticas, lógicas o geométricas. Economistas, contables y especialistas en ciencias exactas suelen responder a este perfil.
- ✧ Inteligencia espacial. Permite orientarse y representar el espacio mediante la creación de imágenes mentales y su proyección en la realidad, a nivel práctico, técnico o pictórico. También tiene que ver con un sentido de la orientación en el espacio. En definitiva, aglutina destrezas útiles para disciplinas como la arquitectura, diseño gráfico, dibujo, etc.
- ✧ Inteligencia musical. Se manifiesta en habilidad para la composición musical y su interpretación, bien sea instrumental o mediante el canto. Caracteriza a cantantes, intérpretes y personas que se dedican a la composición, dirección o enseñanza de la música.
- ✧ Inteligencia kinestésica. Permite un uso eficiente del cuerpo: rapidez, precisión, equilibrio, coordinación, flexibilidad, etc. Gimnastas, deportistas y personas que se dedican a la danza o a su enseñanza han desarrollado necesariamente este tipo de inteligencia.
- ✧ Inteligencia intrapersonal. Permite al sujeto conocerse a sí mismo, ser coherente y sacar partido a sus posibilidades: ser realista ante los retos que se

aceptan, saber cuándo esperar y cuándo no claudicar por miedo al fracaso ante tareas que sí se pueden superar.

✧ Inteligencia interpersonal. Se refiere a las habilidades sociales y a la capacidad de relacionarse con los demás de manera eficiente y saludable. Se manifiesta mediante la empatía, por lo que caracteriza a terapeutas y a personas que se dedican a enseñar o a ayudar en general.

✧ Inteligencia naturalista. Permite al individuo reconocer y relacionar las realidades y especies de la naturaleza, por lo que está muy emparentada con la biología.

Tradicionalmente, en la enseñanza se han priorizado las habilidades lingüísticas y matemáticas frente a las otras, que también deben ser estimuladas en aras de conseguir que cada estudiante desarrolle plenamente todo su potencial: cada persona destacará más en unas áreas que en otras, pero esta diversidad es necesaria en la sociedad porque genera conocimientos complementarios.

Posteriormente, se intentaron definir perfiles adicionales a los ocho clásicos, si bien podrían considerarse combinaciones entre ellos:

✧ Inteligencia emocional. Combina destrezas de la inteligencia interpersonal y la intrapersonal, al permitir reconocer las emociones propias y ajenas y establecer relaciones sociales sanas. Es un perfil propio del liderazgo.

✧ Inteligencia creativa. Implica poner las propias habilidades artísticas al servicio de su expresión en las diferentes ramas del arte: pintura, escultura, literatura, música. Como se ve, cada una de ellas se relaciona asimismo con una de las ocho inteligencias primeras.

✧ Inteligencia colaborativa. Permite trabajar en grupo de manera eficiente, siendo capaz de conseguir una interdependencia positiva entre los miembros, incluso en proyectos grandes donde no se conocen entre sí.

Posteriormente, el propio Gardner modificó su teoría hacia la conceptualización de las que denomina las «cinco mentes del futuro» (Gardner, 2008), si bien no tuvo tanta repercusión. Con todo, expertos y expertas han alertado sobre el problema pedagógico que puede suponer una excesiva confianza en lo que llaman *neuromitos*. En el caso concreto de las inteligencias múltiples, no se ha podido demostrar científicamente que la teoría funcione, es decir, que un individuo cinestésico aprenda mejor matemáticas moviéndose, por ejemplo. La crítica suele apelar a que no son inteligencias diferentes lo que tenemos, sino capacidades diferentes, pues el cerebro no compartimenta la información, sino que trabaja en conjunto. Desde esta perspectiva, sería más adecuado hablar de una sola inteligencia, pero con con varias dimensiones.

Constructivismo social

Según las teorías de Vygotski —desarrolladas a principios del siglo XX y recogidas en Vygotski (1978)—, el aprendizaje se produce de un modo sociocultural: el desarrollo cognitivo de cada individuo depende de sus oportunidades para la interacción social en el marco de la cultura dominante. Por ello, responde al proceso de socialización. Esta favorece el desarrollo paulatino de las habilidades cognoscitivas como proceso lógico derivado de la inmersión en la vida familiar y sociocultural. En este proceso, la mediación o «andamiaje» se convierte en una estrategia de enseñanza (*scaffolding as a teaching strategy*). Según el autor, el aprendizaje ocurre a través de la participación en prácticas sociales y culturales, y tiene lugar en la zona de desarrollo próximo o potencial (ZDP) que se sitúa entre lo que el aprendiente hace de forma autónoma y lo que es capaz de hacer con la ayuda de un adulto competente o un compañero (mediación).

Los umbrales y la competencia lingüística subyacente común

La teoría de la competencia subyacente común fue desarrollada por Jim Cummins (1979) a partir de la idea de que el desarrollo y la expresión de las lenguas que conoce un sujeto, aunque difieran aparentemente en la superficie, funcionan a través de un mismo sistema cognitivo central: mejorar la competencia de estructurar mejor un texto, por ejemplo, es algo que mejorará las habilidades comunicativas en todas las lenguas que se conocen.

Muy relacionada con esta, pero menos conocida, es la hipótesis del umbral, formulada previamente por Toukomaa y Skutnabb-Kangas (1977), quienes sugerían que el bilingüismo o plurilingüismo, cuando es más o menos equilibrado, evoluciona a través de tres niveles, separados por dos umbrales; solo cuando se superan se consiguen cognitivamente los tan apelados beneficios de conocer varias lenguas. Esta teoría podría explicar que muchas personas crean que el bilingüismo es perjudicial para el aprendizaje: para quienes no llegan a los umbrales marcados, en efecto, según esta concepción, ser bilingüe puede obstaculizar su aprendizaje. Sin embargo, el propósito de toda educación es superarlos, con lo que lo que podría parecer un inconveniente se convierte así en ventaja.

Teoría de Krashen: aprendizaje frente a adquisición

La teoría de Krashen (1985) se basa en las siguientes hipótesis:

- ✧ Cabe diferenciar entre adquisición y aprendizaje: el segundo es un proceso consciente y formal, frente a lo inconsciente e informal de la primera.
- ✧ Cuando se aprende es útil activar el «monitor»: es la reflexión sobre el propio proceso con la ayuda docente, mediante la cual se aprende a partir de las correcciones recibidas y el foco en las dudas.
- ✧ Hay un orden natural en que se adquiere la información gramatical que también puede ser aplicado a las lenguas segundas, sin que haya un orden preestablecido de instrucción.
- ✧ Es conveniente aprovechar el *input*: supone proporcionar materiales que estén un escalón por arriba respecto del nivel de conocimiento previo, para que supongan aprendizaje, pero no desmotiven.

✧ Es necesario cuidar el filtro afectivo: se refiere al papel de la confianza, la motivación, la autoestima o la ansiedad.

Contreras Salas (2012) destaca de la aportación de Krashen su idea de que la mejor manera de favorecer la adquisición son los métodos basados en un *comprehensible input*, procurando calidad y cantidad de *input*, es decir, tiempos prolongados y/o frecuentes de exposición a la lengua con mensajes comprensibles que permitan al alumnado avanzar en la comprensión, pero también en la expresión (*output*), que siempre estará dentro del comprehensible input, por ello este debe ser gradualmente más complejo.

Orientaciones didácticas para el plurilingüismo

Para el sistema educativo valenciano el fomento del plurilingüismo es una prioridad, no solo para conseguir formar a la ciudadanía en el dominio de las dos lenguas oficiales y el conocimiento de, al menos, una extranjera, sino que la finalidad de la educación plurilingüe es desarrollar al máximo las habilidades comunicativas de la persona para que sea capaz de usar las lenguas que conoce de manera cada vez más eficiente. Conscientes del papel que en ello desempeñan las metodologías innovadoras, en la Comunitat Valenciana se promueve la utilización vehicular de más de dos lenguas como medios de instrucción; es decir, que los contenidos de las diferentes áreas se aprenden en tres o más idiomas, de manera que se desarrollan sus habilidades lingüísticas desde una perspectiva plurilingüe y se les ofrece una formación integral insertada en la riqueza cultural actual.

Aprender lenguas requiere dotar al alumnado de tiempo, modelos lingüísticos y motivación para el aprendizaje. La mejor manera para que los y las escolares aprendan las lenguas es la de ofrecerles el mayor tiempo de exposición posible (por la parte docente como modelo lingüístico, pero también por parte de personas invitadas) y oportunidades de usarlas en diversas situaciones, tanto a nivel oral como escrito, en interacciones con el profesorado o con estudiantes, siempre en situaciones de uso real de la lengua, que aseguren su motivación por conseguir expresarse adecuadamente, más allá de la nota o calificación de la tarea. Estas actividades, insertadas en el trabajo cotidiano de las diversas áreas, es la manera más eficaz de ofrecer un contexto rico y motivador para usar las lenguas y fomentar actitudes positivas hacia ellas.

El plurilingüismo en el sistema educativo se encarna en unidades didácticas basadas en los avances sobre el aprendizaje de lenguas. La organización metodológica de estos programas debe contemplar una concepción del sujeto de aprendizaje basada en la asunción de un papel activo propiciado por el enfoque comunicativo y el autoaprendizaje, a los que hay que añadir un necesario tratamiento integrado de las lenguas del currículo que se complemente con el tratamiento integrado de las lenguas y los contenidos (TILC). Este último enfoque metodológico trasciende la enseñanza de la lengua extranjera, para llegar a ser una forma integrada de enseñar lengua y contenido. La experiencia y la investigación han demostrado que la adquisición de competencias en ambas áreas, la lingüística y la no lingüística, es más efectiva cuando se usa este enfoque metodológico integrado que cuando se hace separadamente. La razón es el triple enfoque desde el que se plantea: integración de la lengua en las clases de contenido, uso de contenido para aprender la lengua y potenciación de las habilidades cognitivas de aprendizaje. Dentro de este aspecto cabe considerar la motivación, entendiéndola como la necesaria activación para conseguir los fines que se proponen. La primera estrategia necesaria para aprender es el deseo de hacerlo y, por lo tanto, poner toda la voluntad y capacidades cognitivas en juego. Para ello, las unidades didácticas deben ser unidades planificadas para el éxito, de modo que propongan temas de interés y retos interesantes, y en las que, a través de actividades y tareas bien planificadas, el éxito esté al alcance de la totalidad de aprendices, aunque el grado de exigencia para considerar ese éxito sea diferente según el perfil de cada estudiante.

A la hora de planificar las unidades didácticas hay que tener en cuenta que una lengua se aprende mejor si se usa para aprender. Para ello se requiere un trabajo de coordinación del profesorado, donde el tratamiento integrado de las lenguas y de los contenidos requiera planificar qué contenidos lingüísticos se deben trabajar desde las áreas no lingüísticas para conformar la competencia plurilingüe.

El tratamiento integrado de lenguas y contenidos es, por tanto, la mejor manera de dedicar más tiempo a una lengua sin aumentar el horario de impartición. Además, no hay que olvidar que los géneros académicos, es decir, los modos de comunicarse de una determinada área, se trabajan mejor integrados en las áreas no lingüísticas que en el área de lengua.

El uso de las lenguas en el centro escolar

En una región con dos lenguas oficiales consideradas valiosas por parte de la administración es esperable que, desde el gobierno, se trace como objetivo un escenario ideal donde toda la ciudadanía llegue a considerarlas útiles en igual medida y, si no las emplea igualitariamente, sí al menos adquiera un dominio suficiente de ambas.

Cots, Ibarraran, Irún, Lasagabaster, Llurda y Sierra, tras un estudio de cuatro años en escuelas vascas y catalanas (2010, pp. 151-156), propusieron las siguientes pautas para la educación plurilingüe e intercultural, las cuales pueden ser tomadas en consideración por cualquier docente, especialmente de áreas lingüísticas:

◇ El modelo lingüístico en las escuelas, especialmente en sociedades plurilingües, ha de garantizar un programa de educación plurilingüe para todo el alumnado, incluyendo los recién llegados, como única manera de conseguir que equiparen sus competencias y posibilidades futuras a las de la población autóctona, pues un modelo monolingüe que exime al aprendiz inmigrante del estudio de la lengua propia del territorio limita sus posibilidades en sociedades donde el uso de la lengua minorizada se requiere en muchos ámbitos de uso, especialmente profesionales.

- ✧ Las actitudes lingüísticas han de hacerse explícitas en el aula para que el profesado tenga posibilidad de trabajar la concienciación acerca de la conveniencia de eliminar prejuicios lingüísticos, que dificultan el aprendizaje. También las lenguas y culturas del alumnado inmigrante deben ser tema de conversación, como camino para avanzar en el entendimiento y la tolerancia, y siendo conscientes de la necesaria implicación de las familias, dado el papel relevante que juegan en la formación de estas actitudes y prejuicios.

- ✧ La visión del profesorado denuncia la necesidad autoformación para abordar situaciones urgentes en estos ámbitos y demanda la posibilidad de formarse mediante cursos prácticos que realmente aporten soluciones a los problemas que continuamente hay que afrontar.

- ✧ Respecto a las consideraciones pedagógicas para trabajar la competencia comunicativa e intercultural, es fundamental creer en la necesaria participación activa por parte del alumnado, para lo que existen unas metodologías más apropiadas que otras, como el enfoque por tareas o proyectos y la asunción de tratamiento integrado de lenguas por parte de los centros escolares.

- ✧ En el diseño de materiales, cabe prever siempre tareas con objetivos comunicativos reales, donde se garantice la reflexión explícita sobre las diferentes lenguas y la integración de culturas distintas, siempre desde una concepción no esencialista —para evitar estereotipos que generen nuevos prejuicios—. Se recomienda diseñar actividades del tipo de los juegos de rol, donde se reproduzcan lo que los autores llaman «episodios críticos», que el alumnado debe analizar y encauzar con la ayuda docente. Los materiales, en definitiva, deben integrar los componentes de la competencia comunicativa (lingüística, sociolingüística, discursiva, etc.) y dar posibilidad al aprendiz a desarrollarlos para comunicarse con personas pertenecientes a culturas distintas, con una actitud de apertura y reflexión.

- ✧ En coherencia con los puntos anteriores, el diseño de la evaluación debe garantizar una valoración global de los aprendizajes, desde un punto de vista competencial explícitamente ligado a las tareas y objetivos. Instrumentos de evaluación como los porfolios, las pautas de observación o las rúbricas pueden ser útiles en estos contextos.

- ✧ Finalmente, como reflejo oficial de todo lo apuntado, el proyecto lingüístico de centro (PLC) debe reflejar este tipo de líneas de actuación, los acuerdos de coordinación, etc., con el objetivo de que se convierta en un instrumento vivo y flexible que realmente esté al servicio de la comunidad educativa en su mejora de la docencia y de los aprendizajes lingüísticos. El PLC, tal y como concluyen Cots, Ibarraran, Irún, Lasagabaster, Llurda y Sierra (2010, p. 156), debe ayudar a conseguir el equilibrio en el uso y en el desarrollo de las competencias en cada lengua, debe fomentar las actitudes positivas hacia ellas, especialmente hacia las minorizadas, debe contemplar como riqueza las diferencias socioculturales de los estudiantes y debe vertebrar la didáctica de las lenguas desde un enfoque unificador, integrador y funcional —para fines comunicativos, pero garantizando la competencia metalingüística que potencie asimismo la capacidad de utilizar las lenguas cada vez de forma más adecuada—.

En la Comunitat Valenciana, el objetivo social de conseguir un conocimiento y uso equiparable entre las lenguas oficiales se traslada al ámbito educativo, como contexto idóneo de transformación de la sociedad. Así, cada centro escolar debe analizar la realidad lingüística de su comunidad educativa para basar en él su plan de acción para la normalización de los usos lingüísticos minoritarios. Así, un centro cuyo alumnado procede mayoritariamente de familias castellanoparlantes tendrá como objetivo desde el ámbito administrativo conseguir que el valenciano sea la lengua de uso habitual en todas las actividades. Este tipo de medidas y el análisis que las sustentan conforman el plan de normalización lingüística (PNL), que la comisión de coordinación pedagógica debe elaborar y aprobar en consejo escolar, y que en la práctica normalmente afecta a la normalización del uso del valenciano en los centros, por ser la lengua minorizada en la sociedad.

Si el diseño particular del PEPLI descrito en el proyecto lingüístico del centro (PLC) prevé las grandes líneas de actuación en materia de lengua en los usos puramente académicos que se desarrollan en la institución educativa en la que se aprueban, resultado del consenso de la comunidad educativa, el plan de normalización lingüística (PNL) concreta las líneas de actuación en lo que concierne principalmente a la extensión del uso del valenciano en el resto de actividades en las que está implicado cada centro.

Así, tal como lo entiende y define la Conselleria d'Educació, Cultura i Esport (2015), el plan de normalización lingüística de cada escuela o instituto es un proyecto de actuación que parte del análisis del uso real de las lenguas, y especialmente del valenciano, en el contexto real del centro y que, sin perder de vista los objetivos expresados en el PLC relativos a la concreción del PEPLI, establece unos objetivos por lo que respecta a la extensión del uso del valenciano en la actividad académica, administrativa y social del centro para un plazo medio. Al mismo tiempo, incluye la especificación de la temporización anual para este período, las estrategias de actuación, los responsables y los recursos, y los sistemas de evaluación de estos procesos.

El proyecto lingüístico de centro

Según el *Decreto 127/2012, de 3 de agosto, del Consell, por el que se regula el plurilingüismo en la enseñanza no universitaria en la Comunitat Valenciana [2012/7817]*, todos los centros sostenidos con fondos públicos de la Comunitat Valenciana deberán elaborar un proyecto lingüístico de centro (PLC), en el que se definen, en líneas generales organizativas y metodológicas, las actuaciones de los centros con referencia al uso y la enseñanza de las lenguas, tanto en el entorno escolar como extraescolar. Corresponde al Consejo Escolar aprobar el PLC, pero no por mayoría de los miembros presentes con derecho a voto, sino por propuesta de mayoría cualificada de dos tercios de los miembros (artículo 29.10c del Decreto 252/2019).

Para facilitar la tarea, el Servicio de Enseñanza en Lenguas elaboró un modelo de PLC electrónico que se completaba en línea y permitía un acceso fácil a los datos reflejados por los centros, además de contar con el asesoramiento tanto de la inspección educativa como del propio Servicio de Enseñanza en Lenguas y los asesores de ámbito lingüístico de la red de CEFIRE de la Conselleria de Educación, Cultura y Deporte. Hasta 2018, este PLC incluía el diseño particular del programa (DPP), dado que cada centro podía acogerse a un programa u otro.

Desde la entrada en vigor de la Ley 4/2018, de Plurilingüismo, el proyecto lingüístico de centro (PLC) incluye el plan de normalización lingüística (PNL) y la concreción del uso vehicular de las lenguas, en el marco del PEPLI, programa de educación plurilingüe e intercultural único para todos los centros, pero flexible, según vimos. Según el artículo 15 de la mencionada ley, la estructura del PLC debe incluir también el plan de enseñanza y uso vehicular de las lenguas, así como la propuesta para evaluar la consecución de los objetivos y establecer modificaciones que supongan una mejora. Este documento debe establecer las medidas que adoptará el centro en la evaluación del proyecto lingüístico de centro y de cómo se rentabilizarán o aprovecharán las conclusiones que se deriven de ella. Respecto al plan de enseñanza y uso vehicular de las lenguas, debe determinar la organización y el tratamiento didáctico de la enseñanza y el uso vehicular de cada lengua curricular, y debe incluir los siguientes aspectos:

a) La proporción de uso vehicular en cada una de estas lenguas hasta completar el 100 % del tiempo curricular.

b) Los enfoques metodológicos que se tienen que priorizar en la enseñanza y el uso vehicular de las lenguas curriculares.

c) El momento, la secuencia y el enfoque en la introducción del tratamiento sistemático de la alfabetización inicial en cada una de las lenguas curriculares.

d) Las medidas de apoyo a la enseñanza y el uso vehicular de las lenguas tanto dentro del centro como en el entorno local y global.

e) El tratamiento de las personas recién llegadas y del alumnado vulnerable (alumnado procedente de entornos socioculturales deprimidos y alumnado con dificultades de adquisición y aprendizaje de las lenguas).

f) La modalidad de presencia de las lenguas y culturas no curriculares en la actividad educativa del centro.

g) Las medidas organizativas que garanticen, en la enseñanza y el uso vehicular de las lenguas, la coherencia en los diferentes niveles educativos y la continuidad entre etapas, respecto a los contenidos y a la metodología; la organización y agrupamiento óptimo del alumnado, y la creación de entornos de aprendizaje óptimos, utilizando estratégicamente la totalidad de los recursos que el centro tiene o puede conseguir; espacios y contextos, que el centro tiene y que puede utilizar para mejorar el tiempo de exposición a las lenguas en un ámbito no formal. (Presidencia de la Generalitat, 2018, pp. 7868-7869)

El plan de normalización lingüística del centro

Elementos

El plan de normalización lingüística (PNL) consta de recogida de información del entorno del colegio y sus características sociolingüísticas. Está formado por una serie de objetivos y por las actuaciones de intervención en los ámbitos administrativos, académicos y de gestión pedagógica. Asimismo, forman parte del PNL la temporización de dichos objetivos, los recursos, las previsiones de formación del profesorado, de personal no docente y de material del centro, además de los sistemas de evaluación del propio plan. La Conselleria define así estos elementos (CEICE, 2015):

Recogida de información

Se refiere a la necesidad de contar con datos sociolingüísticos fiables a la hora de planificar cualquier medida de uso y promoción de lenguas. La recogida de información debe abordar dos aspectos: por un lado, la situación real del centro, deducible de un análisis del uso efectivo de cada lengua en los espacios y sectores; por otro, las posibilidades de uso, inferidas a partir de un análisis del contexto, tanto mediato (el entorno social) como inmediato (el centro mismo). De la distancia entre la situación real y las posibilidades actuales de uso del valenciano o de las lenguas menos utilizadas deben derivar los primeros objetivos en un plazo medio.

Establecimiento de objetivos

El objetivo básico de todo el proceso debe ser la normalización plena del centro a nivel lingüístico. No obstante, si la situación del uso del valenciano es muy precaria, cabe hacer un planteamiento realista y proponerse unos objetivos alcanzables. A partir de este punto, el proceso de revisión y actualización del plan llevará a plantearse, en el plazo más corto posible, el objetivo final establecido en el PNL.

Alcance del plan y temporización

El PNL debe abarcar todos los espacios de uso y sectores de actividad del centro y establecer objetivos concretos. Para ello, dado que no pueden abordarse todos los frentes al mismo tiempo, se establecerán unas prioridades y una secuenciación temporal de las mismas. Esta temporización debe guiarse según criterios de oportunidad, coherencia y funcionalidad de cada objetivo.

Estrategias de actuación

Deben especificarse cuál debe ser la metodología de actuación, es decir, cómo y con qué procedimientos se desarrollará el plan. Para cambiar las normas de uso lingüístico en cada uno de los espacios y sectores del centro, por ejemplo, habrá que considerar la conveniencia de establecer actuaciones integradoras, más que excluyentes.

Agentes implicados y responsabilidades

El PNL debe ser vinculante, especialmente para el profesorado del centro. Cada docente, por tanto, es responsable de la aplicación de los acuerdos y estrategias en él establecidos, promoviendo su cumplimiento entre el resto de la comunidad escolar. En general, sobre el PNL y el aprendizaje lingüístico, la normativa marca claramente las responsabilidades que legalmente recaen en cada persona. Las que siguen son las atribuciones vigentes de cargos y órganos en la Educación Secundaria, según el *Decreto 252/2019, de 29 de noviembre, del Consell, de regulación de la organización y el funcionamiento de los centros públicos que imparten enseñanzas de Educación Secundaria Obligatoria, Bachillerato y Formación Profesional*, modificado por el *Decreto 72/2021, de 21 de mayo, del Consell, de organización de la orientación educativa y profesional en el sistema educativo valenciano*:

- ❖ Equipo directivo (dirección, vicedirección, jefatura de estudios y secretaría): «Velar por la aplicación del proyecto lingüístico de centro tanto en lo referente al plan de enseñanza y uso vehicular de las lenguas como al plan de normalización lingüística» (artículo 10d).
- ❖ Dirección: «Supervisar la implantación, cumplimiento y consolidación del proyecto lingüístico de centro y del programa de educación plurilingüe e intercultural implantado en el centro, así como de la aplicación de políticas educativas destinadas a la promoción del uso institucional, social y académico del valenciano» (artículo 17l). «Garantizar que el alumnado de nueva incorporación al sistema educativo valenciano, y sus progenitores o representantes legales, reciben información de la naturaleza plurilingüe del sistema educativo de la Comunitat Valenciana y sobre las medidas previstas por el centro para atender al alumnado que tiene baja competencia en alguna de las lenguas oficiales» (artículo 17n).
- ❖ Órganos colegiados de gobierno: «Favorecer las medidas de equidad que garanticen la igualdad de oportunidades, la inclusión educativa y la no-discriminación, poniendo especial atención en las desigualdades socioeconómicas o por razón de género y en el fomento del uso normalizado del valenciano, y actuar como elemento compensador de las desigualdades de cualquier tipo (personales, culturales, económicas, sociales, etc.)» (artículo 25 c).
- ❖ Consejo Escolar: «Promover y participar en el uso social y académico del valenciano dentro del marco establecido por el proyecto lingüístico, con la

concreción del programa de educación plurilingüe e intercultural adoptado, y por el plan de normalización lingüística, en el cual se plasman las líneas de actuación previstas para los diferentes ámbitos escolares: el administrativo, el de gestión y planificación pedagógica y el social y de interrelación con el entorno» (artículo 28c).

✧ Comisión de Coordinación Pedagógica (formada por el director o directora, el jefe o jefa de estudios y los directores y directoras de los departamentos): «Analizar, desde el punto de vista educativo, el contexto cultural y sociolingüístico del centro con objeto de proponer al equipo directivo el proyecto lingüístico del centro» (artículo 37a).

✧ Departamentos didácticos: «Organizar las materias, módulos y ámbitos en la lengua que corresponda de acuerdo con el programa de educación plurilingüe e intercultural del centro» (artículo 42 m).

Recursos económicos y humanos

El plan de normalización lingüística implica la previsión de ciertos recursos para cada una de sus fases, como la recogida de información, la promoción y difusión, la formación del profesorado y personal no docente, la elaboración de material didáctico o de apoyo o para actuaciones puntuales. El PNL, por tanto, exige arbitrar las medidas presupuestarias y los mecanismos de colaboración con otras instituciones para garantizar los recursos económicos y humanos que posibiliten la implementación de todas las medidas.

Sistemas de evaluación

El PNL debe también especificar qué indicadores se considerarán evidencias de la consecución de los objetivos marcados. Esta evaluación debe realizarse no solo respecto de los objetivos últimos, al finalizar el proyecto, sino también a lo largo del mismo, de manera que la reflexión y la valoración periódica del proceso pueda servir para modificar las estrategias o establecer las medidas necesarias.

Ámbitos del PNL

Como se ve, el PNL trata ámbitos diferentes, desde el ámbito de administración y social, que consiste en cómo se debe dirigir la comunidad educativa a las familias en los boletines informativos, en las tutorías y reuniones o durante el horario escolar, hasta el ámbito pedagógico, en el que entrarían, por ejemplo, ciertas cuestiones sobre la distribución de las lenguas vehiculares en las materias, pasando por las decisiones sobre las lenguas que deberían usar los maestros y maestras en sus interacciones didácticas o en las relaciones con el entorno. Así lo establece la Ley 4/2018: en su artículo 15.2, se concreta que el PNL abarca tres ámbitos de intervención:

✧ *Administrativo:* en qué idioma o idiomas deben estar redactados los documentos oficiales y cómo se debe dirigir la comunidad educativa a la administración y a las familias (en los boletines informativos, comunicaciones oficiales...).

✧ *De gestión y planificación pedagógica:* cómo ha de ser la interacción didáctica entre docentes en cualquier comunicación y cuál es el reparto de lenguas en la docencia.

✧ *Social y de interrelación con el entorno:* en qué idioma cabe dirigirse en comunicaciones no oficiales con las familias (tutorías, reuniones o durante el horario escolar), así como en las relaciones con cualquier entidad fuera del ámbito escolar.

El PNL de cada colegio o instituto se encarga, pues, de implantar objetivos en cada uno de estos ámbitos para que el uso del valenciano sea igual de importante que el uso del castellano en la actividad académica, administrativa y social del centro.

Algunas medidas que puede incluir el PNL

Objetivos administrativos

✧ Usar el valenciano en toda la actividad oficial administrativa, en los documentos oficiales, en la documentación económica, etc.

✧ Usar el valenciano en toda relación con la administración, tanto en comunicaciones escritas como orales.

Objetivos académicos y pedagógicos

✧ Normalizar el valenciano en los usos orales de la lengua con fines académicos.

✧ Aumentar las tareas que utilicen el valenciano como lengua vehicular.

✧ Concretar distribución de lenguas según actividades con la finalidad de ordenar la planificación y la gestión pedagógica.

✧ Adquirir material en valenciano para la biblioteca y servicios audiovisuales.

✧ Redactar en valenciano los documentos relativos a la planificación educativa, refuerzo, asesoramiento y asistencia técnica.

✧ Dedicar partidas económicas a adquirir material curricular en valenciano.

✧ Adquirir *software* o material tecnológico con posibilidad de activar el idioma en valenciano o catalán.

Objetivos sociales y de relación con el entorno

Otro de los ámbitos importantes dentro de la escuela son las relaciones personales entre los miembros de la comunidad educativa (entre docentes, discentes y familias), donde se pueden establecer medidas como las siguientes:

✧ Usar el valenciano como lengua de interrelación con el alumnado fuera del aula.

✧ Dirigirse de entrada en valenciano a las madres y padres en las reuniones o tutorías.

✧ Redactar las circulares en valenciano o bilingües.

✧ Promover el valenciano como lengua de uso habitual en todas las actividades o en algunas que se establezcan.

✧ Unificar la acción educativa del centro evitando actitudes discriminatorias con respecto a la lengua.

✧ Solicitar a la Generalitat Valenciana que envíe al centro prensa en valenciano.

✧ Aumentar la presencia del valenciano en la rotulación interna y externa del centro, así como en los carteles o anuncios que se diseñen para cualquier evento.

✧ Dirigirse en valenciano a cualquier entidad fuera del ámbito escolar.

✧ Pedir a los proveedores que les atiendan en valenciano.

✧ Integrar al alumnado extranjero de forma que no se vea la lengua como una dificultad añadida, sino como una oportunidad de enriquecimiento e integración.

Elaboración y difusión del PNL

Aunque la elaboración del PNL corresponda propiamente a la Comisión de Coordinación Pedagógica, para asegurar una vinculación e implicación reales por parte del profesorado en la consecución de los objetivos del proyecto la tarea debe plantearse como participativa, de manera que el resultado logre el mayor consenso posible. Asimismo, para que sea conocido y la comunidad educativa al completo pueda participar conscientemente de su aplicación, el PNL debe ser adecuadamente difundido tras su aprobación. En esta difusión pueden colaborar activamente el Consejo Escolar y las asociaciones de padres y madres del alumnado.

El plan anual de normalización lingüística (PANL)

El plan anual de normalización lingüística (PANL) es una concreción anual del plan de normalización lingüística que determina las actuaciones pertinentes para cada curso escolar. De su aplicación se derivan las medidas de revisión y corrección del PNL, de manera que su diseño se ajuste mejor a la consecución de los objetivos en él marcados.

Propuestas anuales de mejora

El PNL se revisa, pues, cada año para concretar objetivos a corto plazo que puedan ser medibles. Así, cada centro se propone ciertos puntos concretos de mejora, cuya temporalización se marca detalladamente, y cuyo grado de logro se evalúa al terminar cada curso.

Para saber más

Agulló, V. (2011). Análisis de la realidad sociolingüística del valenciano. *Papers: revista de sociología*, 96(2), 501-514.

Anderson, L. W., y Krathwohl, D. R. (eds.) (2001). *A taxonomy for learning, teaching, and assessing: A revision of Bloom's taxonomy of educational objectives*. New York: Longman. https://www.uky.edu/~rsand1/china2018/texts/Anderson-Krathwohl%20-%20A%20taxonomy%20for%20learning%20teaching%20and%20assessing.pdf

Ariño, A., y García, M. (2001). *Postmodernidad y autonomía: Los valores de los valencianos2000*. Valencia: Tirant lo Blanch.

Bataller, A., y Hernández Gassó, H. (2014). *Uns amors, uns carrers. Cap a una didàctica de les geografies literàries*. València: PUV.

Bataller, A., Hernández Gassó, H., y Martín Ezpeleta, A. (eds.) (2017). *Festa popular, territori i educació*. València: PUV.

Bloom, B. S. (ed.) (1956). *Taxonomy of educational objectives: The classification of educational goals*. New York: David McKay Company.

Churches, A. (2009). *Bloom's Digital Taxonomy*. http://eduteka.icesi.edu.co/pdfdir/churches-blooms-digital-taxonomy-v3_01.pdf

Consejo de Europa (2001). *Common European Framework for Languages: Learning, Teaching, Assessment*. Council for Cultural Cooperation: Cambridge University Press. https://rm.coe.int/1680459f97. Trad. esp.: Instituto Cervantes. *Marco común europeo de referencia para las lenguas: aprendizaje, enseñanza, evaluación*. Madrid: Ministerio de Educación, Cultura y Deporte/Anaya, 2002. http://cvc.cervantes.es/obref/marco

Consejo de Europa (2002). *Marco común de referencia para las lenguas: aprender, enseñar, evaluar.* Instituto Cervantes. https://cvc.cervantes.es/ensenanza/biblioteca_ele/marco/cvc_mer.pdf

Consejo de Europa (2018). *Common European Framework for Languages: Learning, Teaching, Assessment. Companion Volume with New Descriptors*. https://rm.coe.int/cefr-companion-volume-with-new-descriptors-2018/1680787989

Conselleria de Educació, Investigació, Cultura i Esport (2015). El Plan de Normalización Lingüística. http://www.ceice.gva.es/web/ensenanzas-en-lenguas/el-plan-de-normalizacion-linguistica

Conselleria d'Educació, Investigació, Cultura i Esport (2017). Decreto 9/2017, de 27 de enero, del Consell, por el que se establece el modelo lingüístico educativo valenciano y se regula su aplicación en las enseñanzas no universitarias de la Comunitat Valenciana. *Diari Oficial de la Generalitat Valenciana, 7973*, de 6 de febrero, 4873-4909. https://www.dogv.gva.es/datos/2017/02/06/pdf/2017_870.pdf

Contreras Salas, O. L. (2012). Stephen Krashen: sus aportes a la educación bilingüe. *Rastros Rostros, 14*(27), 123-124. http://revistas.ucc.edu.co/index.php/ra/article/view/491

Cots, J. M., Ibarraran, A., Irún, M., Lasagabaster, D., Llurda, E., y Sierra, J. M. (2010). *Plurilingüismo e interculturalidad en la escuela. Reflexiones y propuestas didácticas*. Barcelona: Horsori.

Cummins, J. (1979). Linguistic interdependence and the educacional development of bilingual children. *Review of Educational Research, 49*, 222-251.

Escolano, J., España, A., Miró, M., Pascual, A. (1992). *El Projecte i el Pla de Normalització Lingüística d'un centre d'Educació Infantil i Primària*. Núm. Extraordinari, Generalitat Valenciana.

España, A., y Pascual, V. (1993). *Guia per a l'Anàlisi del Context del Centre*. Núm. Extraordinari, Generalitat Valenciana.

Gardner, H. (1983). *Frames of Mind: The Theory of Multiple Intelligences*. New York: Basic Books.

Gardner, H. (2008). *Las cinco mentes del futuro* (edición ampliada y revisada). Barcelona: Paidós Ibérica.

Generalitat Valenciana (2011). *Encuesta 2010. Datos de conocimiento y uso del valenciano*. http://www.ceice.gva.es/estatico/polin/sies_docs/encuesta2010/index.html

Generalitat Valenciana (2016). *Encuesta uso y conocimiento del valenciano 2015.* http://www.ceice.gva.es/documents/161863132/164868986/encuesta+uso+valenciano +2015+espa%C3%B1ol.pdf/a7e964c2-be88-4aa6-a9c0-9ae3d0300327

Guasch, O. (coord.) (2010). *El tractament integrat de les llengües.* Barcelona: Graó.

Huguet, A., y Madariaga, J. (2005). *Fundamentos de la educación bilingüe.* Bilbo: Euskal Herriko Unibert sitateko Argitalpen Zerbitzua.

Krashen, S. (1985). *The Input hypothesis: issues and implications.* New York: Longman.

Lacreu, J. (2016). Este i aquest. *Pren la paraula. Reflexions sobre la llengua, normativa i sociolingüística,* 16 de desembre. https://red.levante-emv.com/joseplacreu/2016/12/16/este-i-aquest/

Lasagabaster, D., y Sierra, J. M. (eds.) (2005). *Multilingüismo y multiculturalismo en la escuela.* Barcelona: Horsori.

Ley Orgánica 3/2020, de 29 de diciembre, por la que se Modifica la Ley Orgánica 2/2006, de 3 de mayo, de Educación. *Boletín Oficial del Estado,* 340, de 30 de diciembre 122868-122953. https://www.boe.es/eli/es/lo/2020/12/29/3

López Valero, A., y Encabo Fernández, E. (2013). *Fundamentos didácticos de la lengua y la literatura.* Madrid: Síntesis.

Nando Rosales, J., Palomero Blasco, N., y Valls Pérez, R. (2003). *La importància de les actituds lingüístiques en el procés d'aprenentatge de llengües.* Alacant: Institut Interuniversitari de Filologia Valenciana «Symposia Philologica», 8.

Oriola, R, Soriano i Cabo, M. J., Cunyat, S., Monclús, C. (1992). *El Programma d'Immersió.* Suport núm. 8, Generalitat Valenciana.

Pascual, V. (2006a). *El tractament de les llengües en un model d'educació plurilingüe per al sistema educatiu valencià.* València: Generalitat Valenciana. http://www.ceice.gva.es/es/web/ensenanzas-en-lenguas/el-tratamiento-de-las-lenguas-en-un-modelo-de-educacion-plurilingue-para-el-sistema-educativo-valenciano

Pascual, V. (2006b). *L'escola valenciana. Un model d'educació plurilingüe i intercultural per al sistema educatiu valencià.* http://www.fev.org/lesclaus/Model_escola_plurilingue.pdf

Pascual, V. (2008). Components i organització d'una unitat amb un tractament integrat de llengua i continguts en una L2. *Caplletra,* 45, 121-152.

Pascual, V. (2011). *L'escola valenciana. Un model d'educació plurilingüe i intercultural per al sistema educatiu valencià.* Unitat per l'Educació Multilingüe (Universitat d'Alacant) i Escola Valenciana.

Pascual, V. (2013). Un model d'educació plurilingüe i intercultural per al sistema educatiu valencià. En *Jornades de la Secció Filològica a València i Alcoi.* Barcelona: Institut d'Estudis Catalans.

Pascual, V. (2016). El tractament integrat de llengües i continguts (TILC): clau de volta de l'educació plurilingüe i intercultural. En Díez Mediavilla, A., Brotons Rico, V., Escandell Maestre, D., y Rovira Collado, J. (eds.), *Aprendizajes plurilingües y literarios. Nuevos enfoques didácticos* (pp. 42-60). Alicante: Publicacions de la Universitat d'Alacant. https://rua.ua.es/dspace/bitstream/10045/64750/1/Aprendizajes-plurilingues-y-literarios_04.pdf

Pascual, V., y Sala, V., (1991a). *Un model educatiu per a un sistema escolar amb tres llengües. 1. Proposta organitzativa.* València: Generalitat Valenciana.

Pascual, V., y Sala, V., (1991b). *Una proposta de planificació educativa dins el model d'enriquiment d'educació bilingüe en el sistema valencià.* València: Generalitat Valenciana.

Presidència de la Generalitat (2018). Ley 4/2018, de 21 de febrero, de la Generalitat, por la que se regula y promueve el plurilingüismo en el sistema educativo valenciano. *Diari Oficial de la Generalitat Valenciana, 8240*, de 22 de febrero, 7860-7873. http://www.dogv.gva.es/datos/2018/02/22/pdf/2018_1773.pdf

Sanmartín, O. R. (2021). El currículo de la ESO de Lengua Castellana dará prioridad a la «diversidad lingüística» y fomentará la «reflexión interlingüística». *El Mundo*, 9 de octubre. https://www.elmundo.es/espana/2021/10/09/6160852721efa0b1028b45ff.html

Suay, F., y Sanginés, G. (2011). La seducció de les llengües o el llenguatge de la seducció. *Udaltop*.

Toukomaa, P., y Skutnabb-Kangas, T. (1977). The intensive teaching of the mother tongue to migrant children at pre-school age. *Research Report, 26*.

Vygotski, L. S. (1978). *Mind in society, the development of higher psychological processes*. Harvard University Press. Trad. esp.: *El desarrollo de los procesos psicológicos superiores*. Barcelona: Crítica, 1979-2009. https://saberespsi.files.wordpress.com/2016/09/vygostki-el-desarrollo-de-los-procesos-psicolc3b3gicos-superiores.pdf

La atención a la diversidad en el aprendizaje lingüístico y literario

Educación inclusiva y atención a la diversidad en los centros de Secundaria

La creciente preocupación por la atención a la diversidad es una de las consecuencias positivas de lo que comúnmente se denomina «crisis en la educación». Es evidente que en las últimas décadas el sistema educativo español ha sido sometido a grandes presiones. Entendemos que la crisis hace referencia a la tensión que hay entre las expectativas puestas en el sistema educativo y las dificultades a las que tiene que hacer frente, y estas pueden abordar desde aspectos meramente económicos (oferta y demanda de profesionales cualificados) hasta culturales o de formación y crecimiento individual.

Así, la cultura (creencias, ideologías, estereotipos, prejuicios), las políticas (acciones, organización, modelos de escuela, sistemas educativos...) y las prácticas (papel docente y discente, concreción del currículo...) son tres elementos que en toda sociedad determinan los fines y principios educativos que rigen en un momento dado. En un modelo de educación *industrial*, que ya debería estar superado, el sistema pretende reproducir los estándares establecidos y seleccionar a los individuos que los alcanzan, desechando al resto. Es justo lo contrario de lo que plantea el modelo de escuela inclusiva.

En esta línea, resulta necesario buscar alternativas a un sistema educativo tradicional que resulta anacrónico porque presenta un modelo desfasado respecto de las necesidades de la sociedad actual (y futura). Se habla de volver a lo esencial, de elevar los estándares educativos..., pero surgen dudas acerca de qué es lo esencial y qué estándares son los que se han de elevar. Frente a la clásica veneración de las inteligencias matemático-lingüísticas, algunas propuestas actuales abogan por la puesta en valor de la gran diversidad de talentos e inteligencias que poseemos las personas, de su atención y potenciación en la escuela, siempre desde el convencimiento de que es bueno tanto para el individuo, que saca el máximo de sus talentos y descubre otros que tenía ocultos, como para la sociedad, que necesitará personas con talentos diversificados y gran creatividad para hacer frente a los retos, a veces inesperados, de una sociedad cambiante.

Cambios en la sociedad actual y las nuevas necesidades educativas

En la sociedad de la información, se relativiza el valor del conocimiento y se prioriza la habilidad de localizar respuestas y soluciones, así como la capacidad de discernir y el pensamiento crítico. El acceso a la información deja de ser un obstáculo, y la comunicación es más plural que nunca. Todo ello hace necesario enfocar el aprendizaje como un proceso que dura toda la vida.

Por otra parte, las migraciones y el flujo internacional suponen el nacimiento de una sociedad multicultural y plurilingüe.

De manera complementaria, la globalización y la conexión entre territorios hacen necesarias nuevas formas de producir y de relacionarse.

Finalmente, otra realidad social consolidada es la democracia, que ha supuesto la extensión de derechos humanos universales.

Así pues, los grandes retos de la escuela son dos:

- ✧ Consolidar una escuela inclusiva para desarrollar al máximo las capacidades de cada persona, respetar la diversidad y asegurar la equidad de acceso a la educación y compensar las desigualdades.
- ✧ Favorecer la formación de sujetos autónomos capaces de tomar decisiones informadas sobre su propia vida y de participar de manera relativamente autónoma en la vida profesional y social.

Así, podemos concluir que la transformación de la escuela está relacionada con los cambios sociales, y que la respuesta a esta crisis pasa por la atención a la diversidad, enmarcada en un *modelo comprensivo de enseñanza* que implique la obligatoriedad hasta la mayoría de edad y la impartición de un currículo básico y común para toda la ciudadanía, que garantice la igualdad de oportunidades y, por tanto, mayor justicia social. Sin embargo, para una justicia social verdadera y efectiva, esta *educación comprensiva* debe ser complementada con medidas de atención a la diversidad que consideren las peculiaridades de cada estudiante, de manera que todos puedan realmente alcanzar los objetivos mínimos establecidos por ese currículo común, también quienes presentan algún tipo de desventaja, sea de la naturaleza que sea, respecto de lo considerado estándar. Y es que eso que denominamos estándar es una abstracción que recoge lo común o más frecuente en la colectividad, si bien no puede negarse que individualmente cada persona es diferente del resto, y esta diversidad ocasiona que no todos aprendan de manera «estándar».

La diversidad en un sistema educativo comprensivo se concreta en el proceso de enseñanza y aprendizaje en las diferentes características de los alumnos y alumnas respecto a capacidades, intereses y motivaciones, habilidades sociales, estilos de aprendizajes, autoestima y concepción de sí mismos y de los demás... La atención a la diversidad en los centros de Secundaria suele atender las *fuentes de diversidad* en cuatro grandes grupos.

Fuentes de diversidad

Las fuentes de diversidad hacen referencia a cuatro variables que se usan para clasificar la diferencia: intelectual, sexual, socioeconómica y cultural.

- ✧ La capacidad intelectual: diversidad de capacidades
- ✧ Las clases sociales: diversidad social
- ✧ La naturaleza sexual de la persona: diversidad de género
- ✧ La existencia de culturas diferentes: la diversidad cultural

Diversidad social

Se refiere a las diferencias socioeconómicas que predicen, parcialmente, el éxito académico. Esto se debe a que la escolarización de un niño o niñas tiene características diversas según el trabajo y origen de sus padres.

Diversidad cultural

También influye el entorno cultural de la familia, es decir, el nivel de estudios y dedicación profesional de los padres. Las medidas de compensación educativa existen para ayudar a quienes no pueden a acceder a las TIC, libros, atención o alimentación... El fracaso escolar con frecuencia está relacionado con variables sociales y culturales concretas que presentan las familias de nuestro alumnado.

Indicadores del fracaso escolar

El fracaso escolar puede hacer referencia a diferentes realidades, y cada una de ellas se mide atendiendo a unos parámetros. Los más comunes son cuatro:

- ✧ Tasa de idoneidad (porcentaje de personas que cursan el nivel educativo que les corresponde por edad).
- ✧ Repetición de curso.
- ✧ Abandono temprano (abandono de los estudios tras la educación obligatoria).
- ✧ No obtención del título de graduado/a en ESO.

Algunas variables que influyen

Algunos de los factores que se han relacionado con el mayor o menor éxito académico son los siguientes:

- ✧ Situación socioeconómica

❖ Formación académica de los padres
❖ Sexo
❖ Comunidades autónomas y contexto geográfico
❖ Tipo de familia
❖ Inmigrantes

Esta relación entre variables puede llegar a ser realmente preocupante. El informe de Save the Children (2014), por ejemplo, relaciona el riesgo de pobreza o exclusión social de los niños con el nivel educativo de los padres (figura 1):

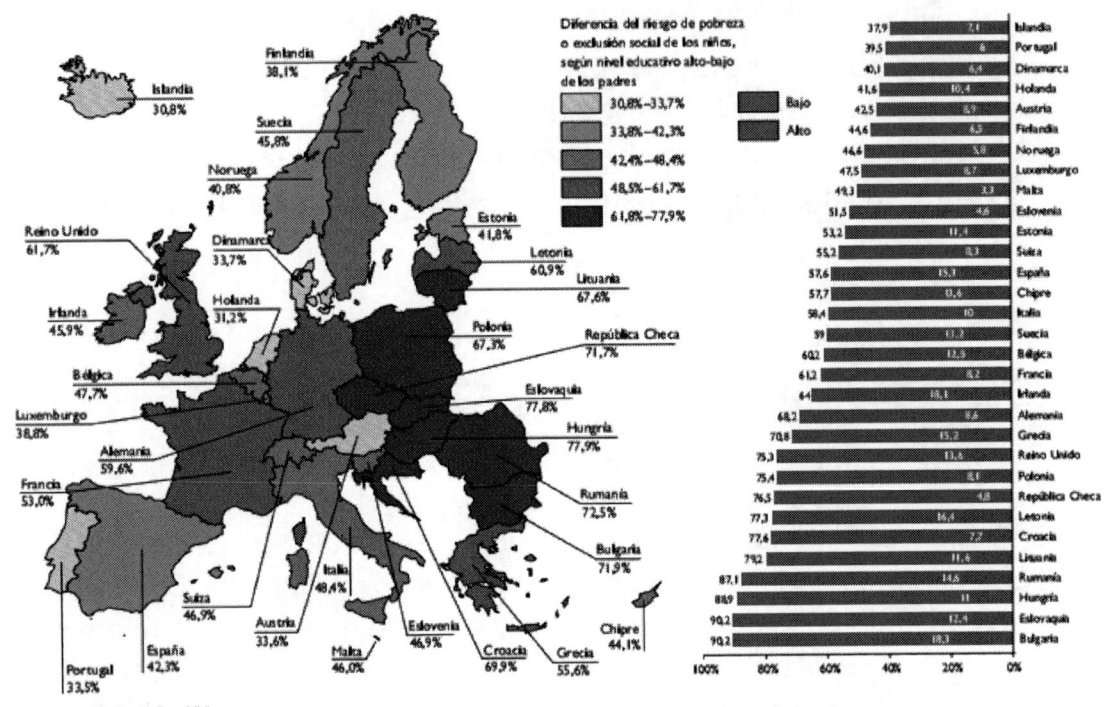

Figura 1. Relación entre el riesgo de pobreza y el nivel educativo de los padres
Fuente: EU-SILC 2013

Para medir el fracaso se relacionan factores diversos según el momento, como el género, la familia y la formación académica de los padres, la situación socioeconómica o la edad de inicio de los estudios. Pero el fracaso escolar es un fenómeno de mucha complejidad, en la que influye gran cantidad de variables sociales y culturales, y cuya concepción depende del organismo o institución que lo mida. Por ejemplo, hoy en día se considera fracaso la tasa de alumnos que han acabado la ESO y no siguen estudiando, si bien en realidad podría considerarse que estos estudiantes han completado la formación básica obligatoria.

Diversidad de capacidades

El concepto también es conocido como *capacidades múltiples*. Por ejemplo, la capacidad para la comunicación eficaz, para la resolución problemas complejos, para la autonomía moral, la autoconsciencia del cuerpo y de la mente, la concepción estética —si bien lo que se considera bello cambia en el tiempo y en cada sociedad, es algo cultural—.

Resulta imprescindible adecuar los ejercicios a la capacidad de cada discente, puesto que, si resulta demasiado sencillo, provocaremos que se aburra; si, por el contrario, el reto resulta demasiado complejo, el resultado puede ser la ansiedad o la desmotivación. Esta es la *teoría del flujo* de Csikszentmihalyi: hallar el *canal de flujo* (*flow*) supone plantear un ejercicio de manera adecuada según las competencias que tengan quienes los vayan a resolver, logrando que el desafío (dificultad de la tarea) sea asumible según las destrezas de cada estudiante. Es un punto ideal entre ansiedad y aburrimiento. Cuando se conecta así con el grupo de aprendices, realmente el aprendizaje «fluye»: hay concentración, disfrute, el tiempo pasa sin que nos demos cuenta.

Sin embargo, para determinar las capacidades de una persona, no podemos hablar de un solo factor que las determine. Robert J. Sternberg (1985) considera la existencia de tres capacidades básicas que determinan la capacidad intelectual (*teoría triádica* de la inteligencia), un modelo de inteligencia que se basa en las operaciones mentales que realiza el individuo:

- ✧ La **inteligencia analítica** (aspecto componencial) supone la capacidad de obtener y retener información, pero también de analizarla, compararla, juzgarla o utilizarla para resolver problemas. Es la más cercana a la concepción unitaria de la inteligencia (planificar, tomar decisiones y gestionar los recursos cognitivos).
- ✧ La **inteligencia práctica** (aspecto contextual) nos permite adaptarnos al entorno, aprovechando los recursos existentes, adaptándose a ellos o creando nuevos mecanismos para la supervivencia (modificando el ambiente o buscando uno menos hostil). Esta inteligencia nos permite aplicar las habilidades cognitivas con un propósito adaptativo.
- ✧ La **inteligencia creativa** (aspecto experiencial) nos permite aprender de la experiencia, integrando la información obtenida del exterior con los mecanismos de nuestra mente, de manera que nos hace capaces también para resolver situaciones nuevas que no hemos experimentado anteriormente.

Como se vio en el capítulo anterior, esto está relacionado con una categorización previa y más conocida, la de Howard Gardner sobre las *inteligencias múltiples* (1983), quien por la misma época trabajaba por la ampliación del concepto de inteligencia: la inteligencia no es algo unitario, sino una combinación de factores, un conjunto diverso de capacidades. Tampoco es innata e inamovible, sino que se trata de una capacidad adquirida que poseen todos los seres humanos y que sigue desarrollándose a lo largo de la vida, en función de la educación, el medio y las experiencias vividas. Todas las personas estamos capacitadas para el desarrollo de nuestra inteligencia; cada una piensa y aprende de maneras distintas y, al menos, según esta teoría, existirían tantas formas de aprendizaje como tipos de inteligencias múltiples básicas:

- ✧ Inteligencia lingüística-verbal
- ✧ Inteligencia lógico-matemática
- ✧ Inteligencia corporal-cinestésica
- ✧ Inteligencia visual-espacial
- ✧ Inteligencia musical
- ✧ Inteligencia intrapersonal
- ✧ Inteligencia interpersonal
- ✧ Inteligencia naturalista
- ✧ Inteligencia existencial (añadida *a posteriori*)

Si tenemos en cuenta este hecho, resulta incoherente que nos limitemos a enseñar siempre de una determinada manera, ya que solo estaríamos atendiendo a una parte del alumnado. Es por eso por lo que las actividades planteadas en el aula, según esta teoría, deberían dar la oportunidad a cada estudiante de experimentar diferentes situaciones en las que se trabajen las inteligencias múltiples dentro del área y competencias de cada asignatura, y también con acciones transversales. En Lengua Castellana y Literatura la inteligencia lingüística es la más trabajada —y se aborda también en todas las demás áreas con cada tarea de escritura, de escucha mutua, de comprensión lectora o de expresión oral—, pero también podemos desarrollar desde nuestras programaciones la inteligencia lógico-matemática (descifrar códigos, plantear una estrategia para resolver un problema...), la inteligencia musical (leer con ritmo, componer o analizar canciones, elegir música de fondo para presentaciones orales, narrar cuentos o poemas cantados...), la inteligencia visual-espacial (disponer de los elementos para componer una maquetación de un periódico o de un mural, participar en representaciones teatrales), la inteligencia corporal-cinestésica (jugar con textos instructivos, interpretar pasajes literarios, hacer una búsqueda del tesoro...). En estas cuestiones se basa el método de «inteligencia ortográfica» de García Guinarte (2020), especialista en neuroeducación, aunque por supuesto, no es tan milagroso como promete.

La escuela, si pretende el desarrollo integral de su alumnado, debería integrar todas las inteligencias —o todas las dimensiones de la inteligencia—, pero no se trata de asignaturizarlas, pues ello resultaría en una banalización del concepto. Algunas de las implicaciones que esta teoría ha supuesto para la educación son las siguientes:

- ✧ Debemos intentar averiguar cómo aprende cada estudiante para poder llegar a él o ella; y también para ser conscientes de sus capacidades (inteligencias) con el fin de valorar de manera real el proceso de enseñanza-aprendizaje y poder hacer las modificaciones pertinentes.

◇ Debemos aprovechar esas capacidades e inteligencias que han ido desarrollando para el beneficio de la clase entera.

◇ Necesitamos de todas las inteligencias: no podemos subestimar ninguna en la escuela porque todas son necesarias en la sociedad.

◇ El sistema escolar debe priorizar una formación integral: para ello debe desarrollar los diferentes tipos de inteligencia, buscando momentos para practicarlos todos.

◇ Las personas aprenden de diferente manera, pero todas deben experimentar las diversas formas de aprender.

◇ Todo ello prepara al grupo de estudiantes para una vida compleja —y para un futuro que no sabemos cómo será, por ello cobra tanta importancia la atención a la creatividad en la escuela—.

La teoría de las *cinco mentes* de Gardner trasciende su propia teoría de las inteligencias múltiples. Se trata de una conceptualización de diferentes tipos de funcionamiento mental que ayudan al individuo a prosperar en la actualidad y, sobre todo, se proyectan en las necesidades que se prevén para el porvenir, según el crecimiento esperable de la ciencia y la tecnología, del acceso ilimitado a la información, cada vez más compleja por su cantidad y heterogeneidad, el desarrollo de la inteligencia artificial y la globalización y contacto entre culturas. Todo ello supone nuevos retos que pueden ser abordados desde cinco maneras de ver la mente. A diferencia de las ocho inteligencias múltiples, entendidas como capacidades, la teoría de las cinco mentes se refiere a los usos generales de estas capacidades, es decir, las predisposiciones que deberían desarrollarse. Estas deberían ser fomentados en la escuela, en la sociedad y en el ámbito laboral, para propiciar un desarrollo óptimo de nuestro potencial y afrontar con éxito los retos del futuro. Como se verá, los tres primeros tipos de funcionamiento mental se refieren a lo cognitivo, pero para funcionar realmente al servicio del progreso y el desarrollo humano deben ser complementados por aspectos éticos y morales, que son los contenidos en los dos últimos tipos de mente.

La **mente disciplinada** o comprensión disciplinar conecta con las principales áreas de conocimiento humano (matemáticas, historia, arte, etc.) y ordena la mente. Acumula conocimientos de esas disciplinas, pero también está entrenada en el modo de pensar o proceder típico de ellas. Esta mente es capaz de transferir este modo de pensar a la vida cotidiana o profesional, y es capaz de autoevaluarse y seguir aprendiendo. Este tipo de mente es el que nos permite trascender el conocimiento superficial de los hechos para sentirnos responsables o agentes del mundo que nos rodea. La mente disciplinada está muy relacionada con los procesos de autorregulación del aprendizaje.

La **mente sintética** o pensamiento sintético destaca por su capacidad para manejar, seleccionar y establecer conexiones entre conocimientos e informaciones diversos, es decir, para interrelacionar lo que genera la mente disciplinada con el objetivo de comprender mejor y también de crear nuevos conocimientos; por ejemplo, crear un todo coherente y con sentido, comunicable, que sea más que la suma de la información seleccionada y sintetizada, procedente de diversas fuentes. Para desarrollarse óptimamente debe ejercitarse de manera adecuada, es decir, sin desatender la compresión disciplinar que debe sustentarla.

La **mente creativa** es capaz de descubrir y clasificar los nuevos problemas, preguntas y fenómenos, y de arriesgarse para proponer nuevas teorías o productos; va «más allá del conocimiento y la síntesis existentes para plantear nuevas preguntas, proponer nuevas soluciones, dar forma a obras ampliando los géneros existentes o configurar otros nuevos; la creatividad incorpora una o más disciplinas establecidas y requiere un campo informado en el que se pueda emitir juicios acerca de la calidad y la aceptabilidad de la creatividad» (Gardner, 2008, p. 218).

La **mente respetuosa** acepta y valora la diversidad humana, entiende las diferencias entre las personas como riqueza, aprende a estimar y a convivir con seres y grupos diferentes a aquellos con los que se identifica. Es capaz de trabajar en armonía con personas de distintas culturas, apariencias, creencias y costumbres, siempre que no vaya en contra del bienestar común. Así, el respeto verdadero trasciende lo superficial y lo «interesado» y lo «políticamente correcto» para impregnar todas nuestras relaciones con el otro.

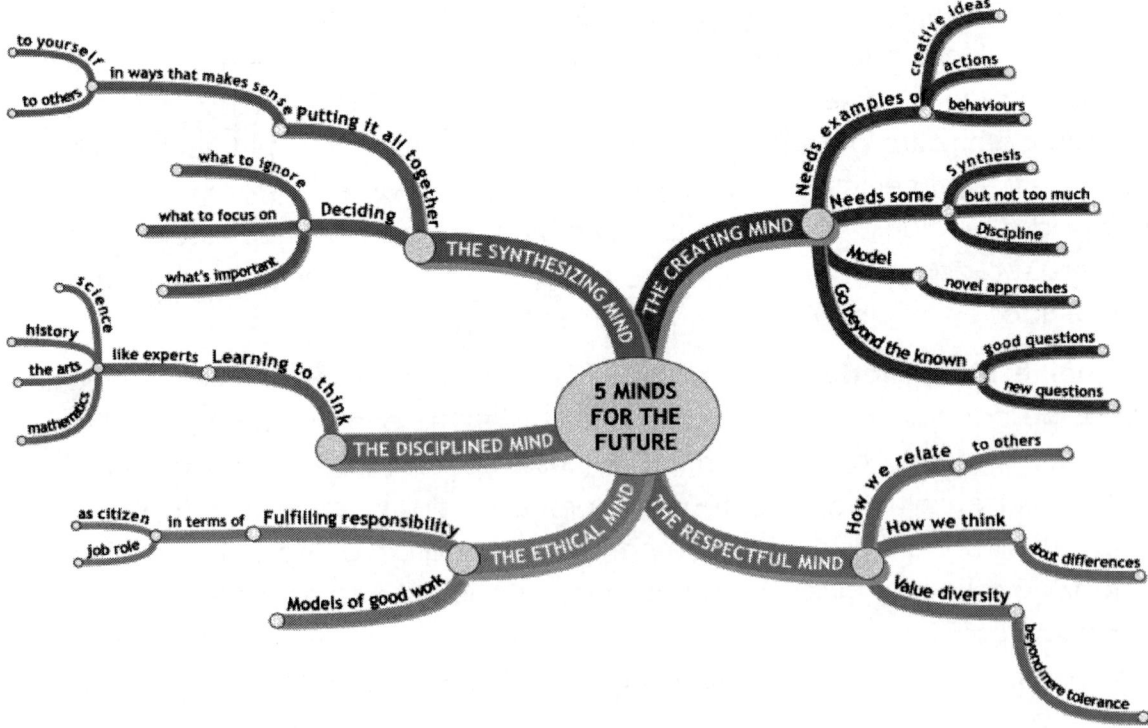

Figura 2. Diagrama de las cinco mentes
Fuente: https://isaiahlim.files.wordpress.com/2006/10/5minds.gif

La **mente ética** se rige por principios morales, considera los límites de la conducta y es consciente de sus derechos y deberes para la ciudadanía en general o según el rol y la situación de cada momento. Este tipo de pensamiento trasciende la propia individualidad para servir a la sociedad de manera útil y fiel a unos principios, defendidos siempre de manera responsable y en aras de una sociedad más justa.

Como se ve en las descripciones, las cinco mentes no deben ser consideradas como entes aislados o independientes, sino que el desarrollo humano necesita de las cinco para prosperar y adaptarse óptimamente al medio. Además, se considera que el uso conjunto de los cinco tipos de pensamiento es el que asegura un desarrollo mental armónico para el individuo y respetuoso para el bien común, pues combinaría facultades intelectuales o cognitivas con el necesario funcionamiento axiológico de la mente humana (figura 2).

No podemos hablar de la diversidad de capacidades sin aludir a la discapacidad. Para introducir este tema, Marchena (2005) propone revisar algunos conceptos relacionados:

- ✧ **Diversidad.** Cualidad objetiva en los seres humanos. Es un hecho objetivo que responde a la realidad de la naturaleza (humana).
- ✧ **Diferencia.** Representación de la diversidad, valoración que se hace de ella (con rechazo o comprensión). Es una realidad del pensamiento. Implica una apreciación subjetiva.
- ✧ **Desigualdad.** Producto del establecimiento de jerarquías entre las personas en función de sus cualidades y características.

La diversidad y la diferencia no deben justificar la desigualdad. Esto, que se está trabajando mucho en cuanto al género, debe tenerse presente también respecto a los otros tipos de diversidad.

Además, para definir la discapacidad hemos de marcar los límites respecto de otros conceptos:

- ✧ **Deficiencia.** Es algo orgánico, producto de la pérdida de una función sicológica, fisiológica o anatómica. Es un trastorno referido a un órgano.
- ✧ **Discapacidad.** Es la consecuencia de la deficiencia, que limita la capacidad para realizar ciertas actividades. Es un trastorno referido a la persona, por eso se habla de personas con discapacidad, aunque hoy en día se prefiere utilizar el eufemismo de *diversidad funcional*.
- ✧ **Minusvalía.** Es la desventaja respecto a los demás. Es un trastorno referido a la sociedad o, en nuestro caso, a la escuela, que puede aumentar o disminuir la minusvalía en función del contexto. Por ejemplo, al concretar el currículo, a veces el alumnado con discapacidad se encuentra barreras que aumentan las desigualdades sociales. Por ejemplo, una niña con dificultad visual suspenderá un examen si no puede ver con claridad

el texto, pero se le puede ayudar adaptando la fotocopia a sus necesidades.

Implicaciones en el aula para la planificación de las sesiones

Los aspectos metodológicos relacionados con la organización de las sesiones implican cuestionarse qué queremos que aprendan los estudiantes, cómo y mediante qué proceso cognitivo. Puede que para un o una docente sin experiencia la capacidad de escoger el contenido (el qué) sea limitada, pero la reflexión sobre el cómo (qué recurso) y sobre qué proceso cognitivo se va a utilizar (observación, comparación, comprensión, análisis, síntesis, justificación...) es fundamental si queremos contribuir a la construcción de una escuela inclusiva.

Las microplanificaciones (planificación por sesiones) constituyen una herramienta útil para el profesorado, al resultar más concreta que la programación didáctica que abarca todo el curso. Esta microplanificación debe atender el proceso metodológico, los recursos y el tipo de organización para tratar los diversos temas, por ejemplo, comenzar en pequeño grupo y continuar con una puesta en común. Cuando hablamos de la diversidad en el aula, este esquema puede ayudar a diversificar tanto los procesos como los recursos, la organización o los procesos cognitivos.

Así pues, no solo habría que planificar lo que se impartirá, cómo se hará o con qué apoyos y recursos o la organización empleada, sino el proceso cognitivo que como docentes queremos que predomine en la clase. En este sentido, hay que tener presente que se aprende lo que se experimenta, no solo lo que se oye en una clase magistral, a no ser que esta se oriente a que los alumnos y alumnas tomen apuntes sobre aspectos concretos que luego deban utilizar para algún fin específico. Para que puedan seleccionar de entre toda la información la que nos interesa, hay que definir preguntas concretas (y claras). El hecho de tener que resumir o realizar una actividad ya es estar enseñando a pensar, pero se pueden prever procesos cognitivos más avanzados. Por ejemplo, con la presentación de una viñeta gráfica sobre el tema, se puede favorecer el proceso cognitivo del análisis (observación-análisis). Otro ejemplo sería el visionado de un vídeo para sintetizarlo con ayuda de un esquema incompleto (comprensión-síntesis). El objetivo sería que el que el alumno o alumna desarrolle una capacidad de identificar aquello que es importante y seleccionarlo de acuerdo con un objetivo. Luego, por parejas, en un breve periodo de tiempo, se completaría la información. Y mediante la puesta en común el profesor o profesora se aseguraría de que todo el grupo ha comprendido los contenidos audiovisuales.

Diversidad de género

Cabe destacar la importancia de comprender el género como una construcción social, que va más allá de la base fisiológica al establecer roles que se atribuyen a uno y otro sexo. En este sentido, resaltamos la importancia de educar tanto a los chicos como a las chicas en la igualdad, descubriendo lo que la imposibilita, desde micromachismos hasta asesinatos, pasando por la violencia machista, la violencia sexual y la violencia por razón de sexo. Los estudios longitudinales demuestran que, dentro de los tipos de violencia que se dan en la etapa escolar, la que mayor índice de mantenimiento presenta es la que tiene que ver con conductas machistas: así, aunque no es la más frecuente en las aulas, la violencia de género entre jóvenes y adolescentes se vuelve realmente preocupante (Ortega, Ortega-Rivera y Sánchez, 2008; Fernández-Llebrez y Camas, 2012). Sin embargo, no se trata solo de violencia, sino también de una cultura en la que se ha ninguneado y obviado la aportación de las mujeres. El poema «La mitad silenciada» de Marina Izquierdo (2016) ilustra muy bien esta problemática:

Hoy te busqué en mis lomos de cuero
y te hallé ausente y desnuda.
Enterrada boca abajo.
Amortajada en un hábito de rabia plena,
esa que se macera en el regusto de la resignación.
Escondida y silenciada.
Hueca en cuerpo e intuida en los márgenes
por arqueólogas modernas.

Hoy te busqué entre colores y formas,
acariciando las paredes con los ojos rojos
de cifrar firmas sin nombre de mujer.
Imaginándote más allá del lienzo
con los pinceles desde el dintel
sin espejo en el que repetirte.
Fundida en negro con los pigmentos ocultos
en el doble fondo de otra vida.

Hoy te busqué entre fórmulas y probetas,
más allá de la bata blanca cuya pulcritud
anuncias entre manos y senos frotados.
Con la mirada perdida entre el logro y
y el traspiés provocado a través del cristal,
caleidoscopio de sueños,
de tu vocación inquebrantable
en la invisibilidad más absoluta.

Hoy te busqué entre páginas y primicias,
anhelando que ganaras la carrera del noticiario.

Que abrieras media hora de talentos con pene
para que las niñas supieran que tener vulva
no es pecado. Que el esfuerzo esférico tiene premio,
o debería tenerlo, sin la visible redondez de los genitales.

Hoy te busqué en las mochilas de mis hijas,
en la tercera del periódico,
entre las tertulias de corbatas.
En la cerámica de las calles,
en el cian de las plazas.
Entre las líneas de mi voto obligado.

Hoy te busqué entre márgenes y cornisas.
Paspartús y cortapisas.
En sucesos, en contactos.
En anuncios, en revistas.
En las aguas del lavadero.
En las cenizas del medievo.
En el suburbio de los laureles.
En el epicentro del agravio.
En la periferia expatriada.
En la ciudadanía que
fingen plena

Hoy te busqué en las afueras del mundo,
en la humanidad cercenada.
En esa todavía su mitad silenciada.

Este desequilibrio histórico entre sexos no justifica que la desigualdad sea considerada como natural, sino que debe hacernos concluir que tiene que ver con la socialización. Desde el punto de vista educativo hemos de preguntarnos cómo socializar para la igualdad de género. La respuesta actualmente se llama coeducación, y la meta ideal para la construcción de una sociedad verdaderamente justa desde este punto de vista es la corresponsabilidad, concepto que supera el de conciliación laboral y familiar.

La coeducación (educación en la diversidad de género)

Coinciden los informes expertos en que la solución al problema de la violencia y la desigualdad en las relaciones interpersonales entre hombres y mujeres, dado que se origina y conforma durante las etapas de la infancia y adolescencia, pasa por la coeducación en las escuelas. Como manifestara María del Carmen Rodríguez Menéndez (2003, p. 58), «la escuela no puede resolver por sí sola las desigualdades que la propia sociedad general y alimenta, pero es una pieza esencial para reducirlas. En este sentido, el primer paso que ha de dar la escuela es constituirse en una institución realmente coeducativa».

Por desgracia, en las escuelas de hoy en día aún se aprecia una distancia muy grande entre el ideario normativo y la práctica coeducativa. Es urgente, pues que todas las etapas educativas estén orientadas hacia la educación para la igualdad de oportunidades (VV. AA., 2014, p. 111). De ello se derivará una importante profilaxis de la violencia de género: «la coeducación también sienta las bases para erradicar actitudes generadoras de violencia de género puesto que fomenta y transmite entre el alumnado valores como la tolerancia y el respeto a la diferencia por lo que previene la aparición de conflictos en los centros escolares (VV. AA., 2008, p. 65).

Hace tiempo que sabemos que *coeducación* no es lo mismo que escuela mixta. Ni siquiera responde a una formulación extendida, según la cual «yo educo en igualdad: no hago distinciones, trato por igual a mis alumnas y a mis alumnos». El concepto se conoce mal, pues se viene insistiendo en que no es suficiente educar *en* igualdad, sino que hay que educar *para* la igualdad, esperando llegar a ella como meta cívica y objetivo educativo de primer orden, única salida para que nuestra convivencia sea saludable y realmente justa.

La coeducación es una fórmula para reequilibrar los contenidos educativos y la convivencia entre los dos sexos de forma normalizada, respetando las diferencias y manteniendo como objetivo la igualdad, para cuya consecución habrá que introducir cuantos conocimientos y habilidades sean necesarios.

El concepto de coeducación se ha ido incorporando a las políticas educativas, constituyendo un avance importante para alcanzar un modelo escolar basado en la igualdad entre niños y niñas, en el que se combatan la discriminación, los estereotipos sexistas y las jerarquías por motivos de género, como hemos visto que se recoge en los textos legales citados.

Sin embargo, a pesar de los esfuerzos legislativos de las últimas décadas, del progresivo cambio de mentalidad en los centros educativos y en sus prácticas, así como de la labor activa llevada a cabo en muchos ámbitos, todavía hoy perduran ciertos elementos que reproducen y perpetúan el sexismo y las diferencias entre sexos. Del mismo modo que ocurre en el resto de ámbitos, en el sistema educativo en general sigue habiendo situaciones discriminatorias hacia las niñas, maestras, secretarias, limpiadoras..., respecto de sus homónimos masculinos, desmintiendo la creencia sobre la igualdad efectiva y real entre varones y mujeres como una cuestión ya alcanzada (López-Francés y Vázquez, 2014). Así lo evidencian los resultados de diferentes análisis sobre el sistema educativo español, los cuales se preguntan por las causas de esta pervivencia de diferencias que se manifiestan desfavorables a las mujeres: «El origen de esta diferencia es, sin duda, múltiple, pero es obvio que en la misma subyace, todavía, una histórica asignación de los roles» (VV. AA., 2014, p. 109).

Resulta indiscutible que las escuelas se encuentran ante «el desafío de dar respuestas éticas a los retos del siglo XXI»: «tomarse en serio su responsabilidad social respecto al principio de igualdad entre mujeres y hombres es esencial» (López-Francés y Vázquez, 2014, pp. 249-250). Estamos de acuerdo con los expertos y expertas en la materia cuando afirman que es imprescindible coeducar para construir una ciudadanía en igualdad.

Dado que en la escuela la idea de igualdad de derechos y oportunidades ha hecho bastante recorrido, es un ámbito propicio para sembrar la convicción acerca de la necesidad de cooperación entre los sexos. Ha de adoptarse para ello, además del valor de la igualdad como discurso, la práctica de la misma, adaptando sus modos y también sus contenidos hacia una intervención decididamente coeducativa, con enfoque de género, no sexista.

Cabe tener presente que no basta con evitar el sexismo y las prácticas negativas; para una verdadera coeducación hay que desterrar la pasividad y trabajar en positivo, activamente (González-Gil y Martín-Pastor, 2014).

No en vano son cuatro los pilares de la coeducación:

- ✧ Detección del sexismo. ¿Quién hace qué? (Debe ser una cuestión de debate y reflexión en el aula)
- ✧ Uso de lenguajes para la igualdad en la comunicación (lenguaje inclusivo)
- ✧ Consecución de una representación equilibrada: uso de espacios reales y simbólicos, transformación del currículo y materiales didácticos.
- ✧ Inclusión de un enfoque adecuado de la educación afectivo-sexual en la escuela (Diego y González, 2014; Contreras y Trujillo, 2014).

Se trata de impulsar proyectos coeducativos que sirvan para contribuir a superar las limitaciones estereotipadas de roles y permitan un desarrollo más equilibrado y libre de la personalidad, ayudando a construir relaciones entre los sexos basadas en el respeto y la corresponsabilidad e impulsando la participación de hombres y mujeres en todos los espacios de la sociedad. La siguiente tabla de María Elena Simón (2011), adaptada por López-García-Torres y Saneleuterio (2015) (tabla 1), puede ayudar a determinar qué es y qué no es coeducación:

NO es coeducación	SÍ es coeducación
✧ Suponer el trato igual como habitual y conseguido, y la igualdad de oportunidades como indiscutiblemente generalizada. ✧ Considerar los comportamientos como naturales de cada sexo. ✧ Permitir que las diferencias se conviertan en desigualdades. ✧ Hacer que las niñas se adapten a lo masculino como mejor y deseable para todos. ✧ Pasar por alto micromachismos cotidianos y no concederles importancia o considerarlos bromas o *cosas de chicos*. ✧ Consentir que se hagan deducciones generalizadoras del tipo: *las chicas no pueden..., los chicos no deben...* ✧ Alimentar o fomentar fantasías o quimeras de género del tipo *Bella durmiente* o *Supermán*. ✧ Reforzar estereotipos sociosexuales, suponiendo la división sexual del trabajo y la familia.	✧ Tener en cuenta que los roles sexuales están adquiridos social y familiarmente, así como normalizados por la costumbre. ✧ Nombrar siempre a las niñas, chicas o mujeres de forma justa y equivalente. ✧ Legitimar de forma expresa modelos no estereotipados relacionales, familiares, laborales, de mujeres y de hombres. ✧ Introducir la presencia y la obra de las mujeres en todo tiempo y lugar. ✧ Contrarrestar prejuicios y suposiciones sociales y familiares sobre las niñas y los niños. ✧ Ponerlos frente a sus capacidades personales, para que elijan opciones vitales o profesionales sin prejuicios. ✧ Favorecer relaciones amistosas de cooperación entre iguales evitando exclusiones, competitividad o rivalidad excesivas en reductos masculinizados o feminizados en exceso. ✧ Crear un estado de opinión negativa respecto al machismo, el sexismo o la discriminación sexual.

Tabla 1. Qué es y qué no es coeducación
Fuente: López-García-Torres y Saneleuterio (2015), adaptado de Simón (2011)

Por otro lado, M.ª Elena Simón (2011) propone algunos ámbitos para educar en la igualdad, como son las relaciones entre chicos y chicas, profesoras y profesores..., la inclusión en los saberes formales de la obra humana de las mujeres, la educación afectivo-sexual y para la autonomía personal y del cuidado, la comunicación y la construcción de lenguajes para la igualdad, la equidad en los cargos e instancias de responsabilidad, poder y decisión, la formación para la igualdad y fomento de una nueva cultura escolar que destierre el machismo, la misoginia, el sexismo, la homofobia... En definitiva, las cuestiones en las que hay que intervenir, es decir, los aspectos que cabe tener en cuenta en un planteamiento coeducativo), podrían ser las siguientes:

✧ La distribución del poder en los centros para revertir el llamado «harén pedagógico».

✧ El uso de los espacios, por ejemplo, la famosa campaña contra el *manspreading* o despatarre masculino en el metro de Madrid.

✧ El reparto de tareas.

✧ Los libros de texto, primero para cuantificar qué proporción de hombres y mujeres aparecen representados y con qué roles, y luego para corregirlo.

✧ Las dinámicas de interacción en el aula.

✧ El uso del lenguaje.

Hay muchas propuestas didácticas que inciden sobre la cuestión de la igualdad entre hombres y mujeres, en general, así como en la prevención de la violencia de género en el aula, pues su origen se gesta en la adolescencia, a partir de ciertas creencias —no siempre acompañadas de conductas al principio— que, si no se atajan, derivan en conductas más radicales a la larga. Las profesoras Concepción Aroca Montolío, Concepción Ros Ros y Cristina Varela Portela (2016) insisten en la relevancia del contexto escolar en la prevención de la violencia y la discriminación, a través de «serios y eficaces programas enmarcados en una pedagogía preventiva» (p. 27). Su propuesta, evaluado el problema relacional que muchas parejas adolescentes no saben resolver, se centran en las actuaciones en este contexto. Sin renunciar a ello, el programa «La máscara del amor» (Garrido y Casas, 2009) presenta unos objetivos más inmediatos, desarrollando la capacidad de reconocer cuándo una relación incluye elementos patológicos, asociados a la violencia, y da un paso más en el desarrollo de actitudes relacionadas con la igualdad de género, buscando que ellos sean capaces de identificar las señales mínimas de alarma. Lo novedoso de un programa como «La máscara del amor» es que está enfocado exclusivamente en prevenir la violencia en la pareja adolescente, con el objetivo de que «el alumnado adquiera herramientas prácticas, inmediatas y concretas para poder mantener relaciones de pareja adecuadas y, consiguientemente, pueda rechazar las que conduzcan a pautas de dominio o de abuso aunque ya pueda estarlas experimentando (prevención secundaria)» (Garrido y Casas, 2009).

Respecto del programa de Díaz-Aguado (2002), llamado «Prevenir la violencia contra las mujeres: construyendo la igualdad», destacamos que incluye temáticas como la desigualdad racial, social y de género, así como los derechos humanos de hombres y mujeres. Sus resultados consiguen mejorar los conocimientos sobre las discriminaciones y la violencia de género a lo largo de la historia, así como desarrollar una identidad menos sexista.

Otros programas plantean la actuación de modo todavía más global, como la *Guía de coeducación* (VV. AA., 2008). Por su parte, las iniciativas que se centran en la prevención de la violencia inciden en todos los tipos e intentan combatirla de manera integral en los centros (Sánchez *et al.*, 2001).

Desde el punto de vista exclusivo del uso de la lengua y la literatura ya habría muchos puntos en los que incidir. En López-García-Torres y Saneleuterio (2016; 2017) se propone un decálogo verbal para la prevención de este tipo de violencia desde las aulas, y por ello muy relacionado con el área de Lengua Castellana y Literatura:

1) **Conoce a tus alumnos y vela por sus derechos verbales.** Para el conocimiento hay que mostrar interés por la vida privada de los estudiantes, por sus intereses y sistema de valores. Es fundamental estar abiertos al *diálogo*, prever tiempo para desarrollar una

relación que, dentro de los límites que corresponden a la relación con el alumnado, nos permita detectar cuándo alguien no está a gusto por algún motivo, así como percibir señales de que algo no funciona como siempre.

2) Sé vigía del lenguaje. Normalmente hay insultos leves a los que no se suele dar importancia. Sin embargo, algo que nos han enseñado las escuelas antiacoso con programas como Kiva es que no se puede dejar pasar ni un «tonto». Puede que parezca exagerado, pero si somos capaces de acostumbrarnos a lenguajes relajados, e incluso si nuestros oídos llegan a asimilar como parte de la cotidianidad ciertas palabras malsonantes, debemos pensar que también lo contrario es perfectamente posible. Este mismo celo debe aplicarse al uso machista del lenguaje: un profesorado concienciado transmite esta consciencia en su labor educativa.

3) Da retroalimentación tras un conflicto. Si los niños pueden ser muy crueles con otros niños, promoviendo la insolidaridad y la exclusión, la labor docente debe compensarlo conceptual y actitudinalmente poniendo de relieve que se trata de conductas detestables, que no tienen justificación alguna, haciendo hincapié mediante ejemplos reales en las consecuencias que estas dinámicas conllevan para el agresor y la víctima.

4) Fomenta el diálogo. No debemos olvidar insistir en la importancia del diálogo: todo signo percibido, en primera persona o como testigo, debe ser susceptible de convertirse en materia de conversación con otras personas que nos ayuden a definirlo y atajarlo. Estas personas pueden ser familiares, amigos o incluso el personal del centro educativo. Asimismo, el diálogo entre las propias personas que protagonizan el altercado, es decir, entre los agresores y las víctimas, bien enfocado también funciona como bálsamo para ambos y como prevención o suavizamiento de futuros episodios.

5) Prima la comunicación inmediata. Esperar a que el problema se complique es un error que puede tener consecuencias lamentables. Es necesario, cuanto antes, que se informe a la dirección del centro. No nos compete a nosotros juzgar la gravedad de un asunto: hemos de dar constancia del mismo, para no ser cómplices de los agresores con nuestro silencio. En este sentido, no demores el intercambio de impresiones con las familias. Es necesario hablar, desde los primeros signos, con los padres, madres o personas que ejerzan la tutoría legal de los menores implicados en un altercado.

6) Aprovecha la sensibilización mediante la literatura o el arte. La escenificación del amor tóxico ayuda en el proceso de identificación y rechazo, desde los primeros síntomas, del problema. Precisamente la condición de espectador, y sobre todo el planteamiento didáctico desde las aulas o el cine fórum, posibilitan la distancia crítica que se requiere para una asimilación de sus peligros e implicaciones. Películas que se usan frecuentemente para tratar estos temas son el cortometraje, en forma de falso documental, *Amores que matan* (2000) o la galardonada *Te doy mis ojos* (2003), ambas de Icíar Bollaín. Otras asimismo útiles, podrían ser *Solas* (1999), de Benito Zambrano; *En la puta vida* (2001), de Beatriz Flores Silva; *Solo mía* (2001), de Javier Balaguer; *Princesas* (2005), de Fernando León de Aranoa. También se han intentado experiencias didácticas que parten de la literatura, con novelas como *Algún amor que no mate* (1996), de Dulce Chacón, *La mujer del héroe* (2005), de Consuelo Alcalá, e incluso el poemario de Ana Romaní *Love me tender. 24 pezas mínimas para una caixa de música* (2005), entre muchos otros.

7) Descubre nuevas metodologías docentes. En nuestro horizonte hemos de favorecer aprendizajes significativos por medio de la observación, la crítica y la indagación, que ayuden a deconstruir falacias, falsas creencias, mitos e ideas previas erróneas o discriminatorias. Muy relacionada con la educación lingüística y literaria, la metodología denominada «tertulias literarias dialógicas» establece objetivos formativos que aúnan objetivos de formación estrictamente literaria con horizontes de animación a la lectura y promoción de espíritu crítico, todo ello mediante la lectura compartida y el debate moderado entre los propios estudiantes, lectores e interpretadores de las obras propuestas.

8) Lleva un registro detallado. Los casos de violencia o maltrato verbal deben quedar archivados, para su seguimiento e incluso para su estudio en aras de acciones preventivas. Este puede ser un granito de arena hacia un registro común estatal que centralice los casos y que permita observar pautas de comportamiento y predecir riesgos.

9) Colabora en la redacción y cumplimiento del proyecto educativo y plan de igualdad. La coeducación se plantea desde una doble perspectiva: debe asegurar una práctica educativa que no sea discriminatoria para con el género femenino y, además, debe hacer visibles y extender a toda la población escolar aquellos valores propios de la cultura femenina que tradicionalmente han sido objeto de una discriminación en el currículum y en la vida cotidiana de las escuelas. Estos son los dos puntos básicos sobre los que ha de pivotar un adecuado proyecto educativo.

10) Revisa el lenguaje y perspectivas de los contenidos curriculares que impartes. Los libros de texto, folletos, obras literarias, objetos digitales y demás materiales curriculares de tus asignaturas deben ser objeto de tu análisis, con especial atención a la detección de la presencia de posibles prejuicios o estereotipos sexistas y al uso de un lenguaje inclusivo. En los contenidos de las diversas materias, puedes compensar la ausencia secular de las mujeres, recuperando sus obras, su presencia y sus logros. Asimismo, en áreas y materias nuevas podemos introducir la educación emocional y los valores de corresponsabilidad, autonomía personal, respeto activo a las diferencias como positivas y deseables, y rechazo de la violencia como solución a los conflictos, creando actitudes cooperativas, respetuosas y solidarias. Por último, se recomienda incluir en el currículo escolar una «educación para la igualdad» que, además, se plasme de forma transversal en todas las áreas y en el proyecto educativo.

Dos ejemplos de actividades que se vienen realizando desde la asignatura de Lengua Castellana y Literatura para tratar el tema serían los siguientes:

◇ Tratar las diferencias de género a través de las noticias de violencia de género. A partir de estas se genera un debate y, a raíz de este, se analizan las desigualdades de género presentes en la sociedad actual que pueden provocar este tipo de violencia.

◇ Realizar simulaciones que ejemplifiquen el tipo de desigualdades que existen y queremos erradicar, asignando a la mitad del alumnado el papel de una mujer, mientras que la otra mitad tendría el papel de un hombre (es conveniente que los grupos sean mixtos en cuanto a sexo). Con el cambio de papeles se pueden analizar las actuaciones, a nivel de expresión verbal o corporal, centrándose en hacerles entender que no es necesario comportarse de una forma u otra dependiendo de su sexo, es decir, que debemos romper con la asignación de roles según el género y los estereotipos.

La diversidad desde el punto de vista del currículo

Elena Martín, en su artículo «Currículo y atención a la diversidad» (2006), diferencia entre la igualdad de acceso, oferta y resultados. Ser consciente de esto supone un gran paso para lograr la equidad.

La **equidad** es entendida como justicia social y base de la escuela inclusiva. Es la equidad la que se aplicaría en un aula para atender a la diversidad, ya que se adaptaría a las necesidades de cada estudiante.

La **igualdad** es la afirmación de que todos somos iguales y tenemos los mismos derechos. Pero ello ha de hacerse efectivo mediante la práctica de la equidad. Son los sistemas más equitativos los que obtienen mejores resultados.

La equidad sería la meta, garantizando igualdad de acceso, igualdad de oferta, teniendo en cuenta que:

✧ Las medidas adecuadas de atención a la diversidad son el elemento clave para obtener una educación de calidad.

✧ Los cambios sociales provocan cambios educativos, que se reflejan en las leyes y en las prácticas educativas.

✧ Si nos fijamos en los fines educativos de la actual legislación, tendemos a un sistema educativo basado en un modelo comprensivo, esto es, que contempla como riqueza la atención a la diversidad.

La atención a la diversidad debe liderar todo el sistema educativo como elemento clave para obtener una educación de calidad (Ainscow, 2001). El reto es combinar un «tratamiento justo y no discriminatorio para todos y cada uno de sus alumnos (equidad) con la máxima eficacia posible en los resultados (calidad)» (González, 2013, p. 100). Según Domínguez, López y Vázquez (2016), asegurar esta calidad y equidad educativas contando con contextos educativos diversos es uno de los puntos de la actual ley educativa de más difícil cumplimiento, pues supone pasar de una visión reduccionista (enfoque homogeneizador que contrapone exclusión a integración) a un verdadero reconocimiento de los beneficios y dificultades de los enfoques inclusivos que conciban el proceso de enseñanza-aprendizaje reconociendo y valorando la pluralidad individual.

Algunas prácticas y modelos de escuela

Las **políticas de rechazo** y las **prácticas de segregación o separación educativa** son las que explican la creación de colegios y unidades de educación especial. Al diferente se le considera deficiente, anormal. La teoría del déficit explica estas concepciones, que consideran a estas personas como incompletas. Así, la diferencia es vista como una deficiencia, con lo que se favorece la segregación educativa. Lo que subyace en estas prácticas es que la diversidad se considera como una anormalidad. La consecuencia es la segregación en las aulas: se establece un patrón o estándar de enseñanza que presupone unos objetivos; a todos aquellos que no se adapten a este requisito se les presupone un déficit. Desde este modelo, la única acción ante la diversidad es la segregación en centros especiales.

Las **prácticas de ignorancia** suponen la naturalización del fracaso y tienen como consecuencia la renuncia a los objetivos generales de la educación. La diversidad es vista como un problema, y prefiere no contemplarse: se niega la diferencia o heterogeneidad de los grupos y los currículos son cerrados. Estas prácticas legitiman el fracaso escolar, pues no se pretende indagar en sus causas: se ignora y niega la existencia del diferente. Es un planteamiento desesperanzador que establece los mismos objetivos para todos los alumnos sin atender a la realidad ni la diversidad del aula. Este tipo de prácticas docentes implican también cierta pasividad del profesor ante el fracaso escolar, además de la frustración del alumno por no cumplir los objetivos y no tener herramientas para llegar a conseguirlo, ni siquiera con esfuerzo.

Las **prácticas de asimilación** ocurren cuando una cultura no se integra y se intenta que sus miembros la cambien por la cultura imperante, por ejemplo, cuando se intenta que los niños de etnia gitana queden asimilados a la cultura general. Esto deriva también en cierta marginación en el aula de todo rasgo cultural no asimilado. En esta concepción de la escuela, la diversidad se presenta como un reto para aquellos que son diferentes, quienes deben pasar por un proceso de asimilación o anulación. Los diferentes han de adecuarse a los valores, costumbres y formas organizativas de la sociedad receptora.

Finalmente, las **prácticas de inclusión educativa** son, al menos a nivel teórico, la tendencia global más refrendada actualmente: comprende y atiende la diversidad de una sociedad cada vez más heterogénea y compleja, sin olvidar la importancia de la educación emocional. En la escuela inclusiva, el enfoque frente a la diversidad se afronta desde un punto de vista integrador e inclusivo. La diversidad no solo se acepta, sino que se considera natural, lo que dota de heterogeneidad al sistema. En consecuencia, los marcos curriculares son diversos y flexibles, y la diversidad se convierte en un elemento enriquecedor en el aula. En realidad, no podemos negar la existencia de la diversidad, además de que supone una oportunidad de la que podemos sacar gran provecho educativo.

	Segregación	Ignorancia	Asimilación	Inclusión
Diversidad	Molestia, retraso exclusión, disgregación, marginación, negatividad, pasividad	Inexistente, incomprensible	Cultural: dificultad, presión, esfuerzo	Positividad, oportunidad, crecimiento personal, enriquecimiento
Sentimientos alumnado	Desplazado, excluido, como carga, marcado, etiquetado	Frustrado, insatisfecho, marginado, integrado, realizado	Rechazado, infravalorado, presionado, desatendido, marcado culturalmente, pérdida de identidad	Aceptado, incentivado, integrado, satisfecho
Profesorado	Segregación, pasividad, diferencia	Rigidez de currículo y evaluación (no adaptación), falta de atención a los objetivos generales	Pasividad, delega en el alumno, enfoque teórico, desaprovechamiento	Tolerancia, guía, empatía, adaptación a cada uno, adaptación curricular, aprovechamiento de las diferencias

Tabla 2. Implicaciones docentes y discentes de los diferentes modelos educativos

La tabla 2 permite comparar los roles docentes y los sentimientos del alumnado diferente que implican estos modelos educativos, derivados de la diferente concepción de la diversidad en la que basan sus prácticas.

Escuela integradora *vs.* escuela inclusiva

Cabe no confundir las acciones educativas de tendencia inclusiva con las de corte integrador (Ainscow, 2001; Domínguez, López y Vázquez, 2016). Podemos sintetizar algunos ejemplos en la siguiente tabla (tabla 3):

	Integración	Inclusión
Concepto	Tipos de diversidad creados en función de las necesidades educativas del alumnado	Diversidad como algo positivo y enriquecedor
Acciones	Orientar al alumnado en opciones profesionales o académicas según su capacidad	Participación de todo el centro en proyectos comunes enfocados a organizaciones inclusivas para que todo el alumnado alcance sus objetivos
Currículo	Las comunidades educativas asumen la atención del alumnado con discapacidad	Currículo con un núcleo central y común para todos
Medidas de carácter ordinario o extraordinario	Refuerzo educativo y apoyo del profesorado especialista o adaptaciones curriculares	Proyectos comunes con objetivos adaptados a cada estudiante

Tabla 3. Diferencias entre integración e inclusión

Como hemos visto, ha habido diversos procesos hasta llegar a la actual concepción de escuela inclusiva, que afecta a todo el alumnado ya que todos son agentes activos de su proceso de aprendizaje y este requiere de su participación. La tabla de Ángeles Parrilla (2002) (tabla 4) resulta muy ilustrativa para comprender la evolución (no lineal) que el tratamiento de las personas diferentes ha tenido a lo largo de la historia.

	Clase social	Grupo cultural	Género	Discapacidad
Exclusión	No escolarización	No escolarización	No escolarización	Infanticidio/Inter namiento
Segregación	Escuela graduada	Escuela puente	Escuelas separadas: niñas	Escuelas especiales
Integración	Comprehensivid ad (50-60)	Educación compensatoria Educación multicultural (80)	Coeducación (70)	Integración educativa (60)
Reestructuraci ón	Educación inclusiva	Educación inclusiva (Educación intercultural)	Educación inclusiva	Educación inclusiva

Tabla 4. Evolución de la escuela y tipos de diversidad
Fuente: Parrilla (2002, p. 15)

Modelos de escuela

En un **modelo homogeneizador** todos han de aprender lo mismo al mismo tiempo y de la misma manera (no se tienen en cuenta los distintos ritmos y capacidades). Sería el espíritu de la escuela-fábrica, lugar de adoctrinamiento para homogenizar alumnos, eliminando desechos que no alcanzan los mínimos... Responde a las necesidades de la sociedad industrial, que es el momento histórico en el que nace la escuela pública.

La **escuela selectiva**, con países como Alemania a la cabeza, busca potenciar al máximo a quienes van a formar parte de la élite social, mientras que al resto se le margina, reservándole peores puestos sociales. La idiosincrasia es que quien no sigue el ritmo queda fuera de la élite, la de los elegidos; los desechados tienen un camino diferente, también con funciones sociales, pero peor consideradas. En definitiva, este sistema perpetúa el *statu quo* y las diferencias sociales, pues sigue el espíritu del modelo capitalista y la formación «industrial», que dividía en dos polos los resultados escolares: éxito o fracaso.

Las **escuelas de calidad** son las verdaderas escuelas eficaces, donde se considera que todos deberían aprender más y mejor. Favorece la posibilidad de incrementar las capacidades personales al máximo nivel. Asimismo, se entiende que es una innovación necesaria: la escuela debería ser un lugar habilitador, que consiguiera que cada uno desarrollara al máximo sus capacidades. Hoy en día este sería el discurso del debate social y político en materia educativa.

Educación integral

El modelo industrial está en crisis, es anacrónico porque no sirve para nuestra sociedad actual. Además, necesitamos formar a los ciudadanos del futuro, tal y como defienden algunos abanderados de la educación del siglo XXI, como Sir Ken Robinson o Richard Gerver.

Persona	Valores
Animal de inteligencia emocional	Corporales
	Intelectuales
	Afectivos
Singular y libre en sus decisiones	Individuales
	Liberadores
	Morales
De naturaleza abierta o relacional	Sociales
	Ecológicos
	Estéticos
	Religiosos
	Instrumentales
En el espacio y en el tiempo	Espaciales
	Temporales

Tabla 5. Modelo axiológico de educación integral
Fuente: López-García-Torres (2012), adaptado de Gervilla (2000)

Detrás de cada modelo de escuela hay un concepto de sociedad y un modelo de persona. Si abogamos por una educación integral del individuo deberemos abrazar una concepción integral de la persona: «La persona es un animal *de inteligencia emocional, singular y libre en sus decisiones, de naturaleza abierta o relacional, en el espacio y en el tiempo*» (Gervilla, 2008, p. 64). Esta concepción del ser humano fundamenta la necesidad de establecer un modelo axiológico de educación integral, como el que propone la profesora Rocío López-García-Torres (2012), adaptado de Gervilla (2000) (tabla 5).

Transformar la escuela para transformar la sociedad

La tabla 6 sintetiza cómo la escuela inclusiva transforma cada dimensión de la educación respecto de la enseñanza tradicional, y cómo con ello se pretende hacer evolucionar a la sociedad.

	Tradicional	Inclusiva
Fines	Formación integral, acumulación de conocimiento, competitividad, **socializar individuos**	Desarrollo integral, competencias sociales, **socializar individuos**
Currículo	No flexible ni adaptable	Flexible y multidisciplinar
Competencias docentes	Profesor especializado Solo con su aula, muy individualista	Trabaja en la multidisciplinariedad y en cooperación. Sabe colaborar con los otros (o intenta desarrollar esa competencia). Enseña a pensar. Valora la formación continua
Valor del alumnado	Competitivo, acostumbrado a la rivalidad y segregación	Solidaridad, respeto, capacidad de adaptación, autonomía
Criterios de evaluación	Resultados finales académicos	También se evalúa el proceso
Principios ideológicos subyacentes	Aniquila la diferencia. Segregación. Homogeneidad Escuela: lugar de reproducción social	Heterogeneidad Relaciones interpersonales Pensamiento crítico Escuela: lugar de transformación social

Tabla 6. Escuela inclusiva vs. tradicional

La atención a la diversidad y los problemas de aprendizaje

La Educación Secundaria

Las enseñanzas secundarias contienen un ciclo obligatorio (cuatro cursos) desde la LOGSE (1991), el cual entra a formar parte de la educación básica (seis cursos de Primaria más cuatro de ESO, de 6 a 16 años) que antes, con la Ley General de Educación, solo configuraban ocho cursos (Educación General Básica, de 1.º a 8.º de EGB, 6 a 14 años).

La Educación Secundaria Obligatoria (ESO) es una etapa estratégica dentro del sistema, ya que tiene una doble función como época terminal (fin de la educación obligatoria y, por tanto, fin de la escolarización para parte del alumnado) o propedéutica (vía de acceso a otra etapa distinta). Es decir, que con el graduado en ESO se obtiene un título que permite el acceso tanto al mercado laboral (función terminal) como a la formación profesional, mediante ciclos formativos, o universitaria, pasando por el Bachillerato en este último caso (función propedéutica).

Es por tanto vital garantizar una educación común, básica, para todos los alumnos y alumnas, que los capacite para decidir y trazar sus propios planes de desarrollo personal. El éxito de esta etapa se medirá en el sentido en el que seamos capaces de conseguir cinco grandes objetivos:

- ✧ Acertar en realizar la correcta diferenciación sobre cuáles son estos conocimientos básicos imprescindibles (sin confundir con lo básico deseable).
- ✧ Cubrir todos los ámbitos del desarrollo y no caer en exceso en el academicismo.
- ✧ Trabajar competencias, no solo contenidos.
- ✧ Atender a la diversidad.
- ✧ Cuidar la convivencia.

Según E. Martín (2006), para conseguir estos conocimientos básicos imprescindibles se debe conectar con el alumnado mediante sus intereses y su vida real o cotidiana, es decir, conocer a la persona a la que quieres ayudar y saber qué es lo que necesita (según sus conocimientos y capacidades), para cubrir todos los ámbitos de su desarrollo humano. La clave de la educación de calidad es que el docente acceda a esa información individualizada de sus estudiantes y la utilice para ajustar mejor la enseñanza.

Medidas de atención a la diversidad

Además de contar con herramientas que atiendan la diversidad, es necesario que el grupo de profesionales encargado de aplicarlas crea firmemente que sus estudiantes, en su totalidad, tienen la capacidad de aprender. Como docentes, deben alejarse de las posturas que consideran la capacidad de aprender como algo innato, así como de los llamados periodos críticos propuestos desde la sicología.

Las medidas de atención a la diversidad pueden ser específicas (como el Programa de Diversificación Curricular) o generales, cuya aplicación se modula con la concreción del currículo.

Generales: niveles de concreción curricular

La concreción curricular parte de texto legal donde se decreta el currículo mínimo y avanza por distintas fases:

- ✧ Descentralización a las regiones, comunidades, etc.

- ✧ Proyecto curricular (trata de ajustar la línea del centro a las demandas o necesidades específicas de su alumnado, buscando coherencia entre los equipos docentes).
- ✧ Proyecto común de centro: líneas de coherencia para una educación de calidad.

Las medidas generales de atención a la diversidad son las que todo docente debe aplicar en su programación: se definen y seleccionan los aprendizajes básicos para atender a la diversidad, basándose en el conjunto de competencias clave o capacidades. Para atender a la totalidad del alumnado, deberíamos tener en cuenta las siguientes pautas generales:

- ✧ Incluir las intenciones educativas de todos los tipos de capacidades.
- ✧ Planificar actividades diversificadas para atender a distintos ritmos.
- ✧ Organizar el currículo de manera interdisciplinar, para establecer relaciones entre unas áreas de conocimiento y otras.

En esta organización, la separación entre lo obligatorio y lo optativo es un recurso que nos ayuda a establecer prioridades y alcanzar objetividad en las exigencias educativas. Además, las optativas, sean asignaturas o actividades, intentan atender diferentes intereses y motivaciones. Otra ventaja de la optatividad es que puede garantizar menos integrantes por grupo y, por tanto, mayor atención individual a cada estudiante por parte del docente. Lo mismo ocurre con los agrupamientos flexibles, como los grupos de desdoble.

En cuanto a la planificación de las sesiones, deben preverse actividades de enseñanza diversificadas, para atender los distintos ritmos de aprendizaje que presente el alumnado, siempre partiendo de la activación de conocimientos previos y promocionando la interacción entre iguales.

Finalmente, respecto de la evaluación, esta debe ser formativa y autorreguladora.

Para optimizar un currículo orientado a atender a la diversidad, dado que este pretende vertebrar el conjunto de las decisiones educativas, ha de considerarse también que el tipo de formación del profesorado sea coherente con el modelo curricular, promocionando docentes con capacidad reflexiva, que adapten su enseñanza con carácter dinámico permanente y que puedan contar, además, con la presencia constructiva en el centro de servicios sicopedagógicos a los que pueda acudir como profesional (no solo orientados al alumnado). Asimismo, debe cuidarse que los materiales didácticos permitan tal adaptación y que en la evaluación se establezcan metas curriculares, una evaluación alineada que valore todas las capacidades

Como dice Onrubia (2000, p. 117), no se trata de «bajar los niveles», sino seleccionar materiales, distribuir al alumnado, organizar las actividades, etc., de manera que la totalidad de estudiantes tenga oportunidad de progresar, ajustando el reto a su manera de aprender. Se trata de asumir un modelo de educación en aulas ordinarias que Carol Ann Tomlinson (2001) llama «aula diversificada». Cabe destacar que si todos los docentes realizaran una buena concreción del currículo no harían falta muchos otros programas y acciones complementarias.

Específicas: la diversificación curricular

En ocasiones, las medidas generales no son suficientes para garantizar el éxito escolar de algunos estudiantes. Para el alumnado con importantes dificultades de aprendizaje, las diversificaciones del currículum son una respuesta educativa efectiva (Tirado, 2000). En Educación Secundaria Obligatoria, actualmente, contamos con dos programas, dentro del Plan de Actuación para la Mejora (PAM):

 ✧ Programa de mejora del aprendizaje y del rendimiento (PMAR): programa específico de atención a la diversidad e inclusión educativa dirigido a estudiantes de 2.º y 3.º de ESO que preferentemente presenta dificultades relevantes de aprendizaje no imputables a falta de estudio o de esfuerzo y que cumplen además unos requisitos generales y específicos de acceso al programa.
 ✧ Programa de refuerzo para 4.º ESO (PR4): programa específico de atención a la diversidad e inclusión educativa dirigido a estudiantes de 4.º de ESO procedentes o no de PMAR3 que presentan dificultades generalizadas de aprendizaje no imputables a falta de esfuerzo y que cumplen además unos requisitos generales y específicos de acceso al programa.

El objetivo del PMAR es que los alumnos que han cursado 2.º y 3.º, o solamente 3.º, en este programa puedan cursar 4.º por la vía ordinaria con medida de refuerzo educativo y obtengan el título de Graduado en Educación Secundaria Obligatoria al finalizar 4.º curso, mientras que el objetivo del PR4 es que el alumnado participante desarrolle las competencias clave y alcance los objetivos generales de la etapa, con una oferta diversificada, adaptada a sus diferentes ritmos de aprendizaje, facilitando la obtención del título de Graduado en Educación Secundaria Obligatoria.

Estos programas, vigentes desde 2016, son herederos del antiguo Programa de Diversificación Curricular (PDC), que se creó con la LOGSE para atender las necesidades del alumnado muy desfasado en aprendizaje y que tendría imposible acabar la ESO sin ayuda específica. Se trata de medidas extremas para que estos alumnos no abandonen el sistema educativo sin tener el graduado, ya que esa titulación será la mínima exigida ante casi cualquier situación laboral.

Son programas coordinados por el departamento de orientación de los centros de Secundaria. Suponen menor ratio de estudiantes, menos asignaturas (tres ámbitos, y un profesor o profesora por ámbito). Siempre tendrán un grupo de referencia con el que cursarán las materias no pertenecientes al bloque de asignaturas troncales que cursarán con un currículo adaptado.

En el grupo específico, el alumnado cursará tres ámbitos y tutoría:

 ✧ Ámbito Lingüístico y Social: castellano, valenciano y geografía e historia.

✧ Ámbito Científico y Matemático: biología y geología, física y química y matemáticas.

✧ Ámbito de Lenguas Extranjeras: primera lengua extranjera cursada.

La tutoría corresponde a uno de los profesores o profesoras de ámbito mientras que la concreción curricular de los ámbitos es elaborada por todo el equipo responsable del programa, asesorado por los departamentos didácticos y por el departamento de orientación.

Como consecuencia, estos alumnos tienen menos profesores y más horas lectivas con cada uno, por lo que los conocen mejor. Se trata de un método mediante el cual se adaptan los contenidos, la metodología y la evaluación para garantizar el graduado en ESO a quienes superan los 16 años (15 excepcionalmente) con dificultades generalizadas de aprendizaje y con riesgo evidente de abandono. Es muy importante no dar a estos estudiantes por perdidos: si sus docentes creen en el potencial de los alumnos y alumnas propuestos para el programa, aumentan las expectativas de conseguir el título.

Este alumnado posee características muy concretas como, por ejemplo, dificultades lingüísticas orales y escritas o rechazo a aquellas actividades en las que puedan quedar en evidencia. Por ello se requiere un programa de choque que rehabilite su autoestima, ayude a que sean reconocidos por sus compañeros y que, por supuesto, conduzca a la obtención del graduado.

Algunos aspectos básicos para el buen funcionamiento del PMAR y del PR4 en los que más se ha hecho hincapié son la elección de los recursos que se emplean, la implicación del centro en proporcionar los materiales y espacios adecuados para la realización de las actividades, la relación con las familias y la cohesión del equipo directivo, lo cual resulta imprescindible para garantizar el buen funcionamiento de los programas.

Otros programas de atención a la diversidad

Otros programas e iniciativas oficiales de atención a la diversidad en la educación obligatoria son los siguientes:

✧ CYL. Aulas de Comunicación y Lenguaje
✧ PAEP. Programa de Absentismo Prematuro
✧ PREVI. Programa de Prevención de la Violencia

Desde 2012-2013, muchas otras líneas existentes en la Comunitat Valenciana han quedado incorporadas en la convocatoria de Contrato-Programa:

✧ Programa Plan Èxit II
✧ Programa de acogida al Sistema Educativo (PASE)
✧ Programa de compensación educativa. Era otro programa de atención específica a la diversidad, dirigido a alumnado con necesidades de educativas por presentar dificultades de inserción escolar al encontrarse en

situación desfavorable, derivada de circunstancias sociales, económicas, culturales, étnicas o personales.

✧ Programa de refuerzo, orientación y apoyo (PROA)

✧ Actuaciones del Plan Integra

✧ Actuaciones para el enriquecimiento curricular

✧ Actuaciones de ampliación del horario escolar

✧ Actuaciones relacionadas con las buenas prácticas docentes

Finalmente, en la atención a la diversidad, también es importante la relación con asociaciones y ONG del entorno, con las que el centro puede firmar acuerdos: TRIES-TU (para alumnos y alumnas expulsados), Programa Promociona, del Secretariado Gitano, SEAFI (para estudiantes con problemas familiares, maltratos...), CARITAS (que proporciona alimento y libros de texto al alumnado necesitado), etc.

La atención a la diversidad en contextos multiculturales

La diversidad cultural

Respecto a la diversidad cultural en la escuela, algunas de las ideas clave defendidas por Essomba (2008) son las siguientes:

✧ La capacidad de acogida de una sociedad no se mide solo por el número de ciudadanos nuevos que llegan, sino sobre todo por el grado de desarrollo en materia de acogida de las comunidades receptoras.

✧ La desigualdad de derechos y libertades entre un ciudadano nacionalizado y uno extranjero supone una injusticia social que puede provocar problemas de exclusión que deriven en conflictos que afectan a la sociedad entera.

✧ Son las características de la realidad social pluricultural de un territorio (o de una escuela) las que deben marcar los modelos teóricos de gestión de la diversidad cultural.

✧ La interculturalidad de un centro educativo no la marca la existencia o no de un programa plurilingüe, sino la relación entre las lenguas escolares y el contexto social, las actitudes lingüísticas y el enfoque comunicativo de la lengua oficial como L2 para el alumnado extranjero.

✧ El desarrollo de un currículum intercultural supone la transformación de los contenidos y la participación de la comunidad educativa en su conjunto.

✧ La construcción de la identidad entre los adolescentes de familia extranjera debe ser abordada en el centro educativo de manera flexible y dinámica.

✧ La posible incompatibilidad de metas o principios entre las familias inmigradas y la escuela debe ser abordada con actitud cooperativa y voluntad de diálogo, mediante un proceso transformativo que genere aprendizaje para todas las partes implicadas.

✧ La educación intercultural no debe limitarse al centro educativo, sino que debe contarse con instituciones y asociaciones del entorno.

✧ Los prejuicios y estereotipos deben ser vigilados en la medida en que pueden originar racismo mediante actitudes conscientes de discriminación.

Arlandis (2021) evoca nuevos horizontes para la atención a la diversidad, la multiculturalidad y el interculturalismo cuando propone «lo literario como un lugar, privilegiado, de encuentro» (p. 69). Martín Ezpeleta (2020), por su parte, aporta propuestas didácticas concretas para integrar diversos ámbitos sociales mediante la educación literaria. Para Gómez López y Fernández Campoy (2020), solo mediante la innovación se pueden afrontar los desafíos educativos del siglo XXI: las estrategias que se adopten, por tanto, deben responder a los retos actuales, que tienen aspectos en común con los de épocas pasadas, pero, sin duda, van marcados por un signo tecnológico que, además, tampoco es inamovible, sino que precisamente se caracteriza por su rápida obsolescencia estar en constante cambio.

Atención del alumnado extranjero

Desde la perspectiva de la clase de lengua, la atención del alumnado inmigrante puede considerarse desde la planificación de las sesiones o la metodología: propuestas de trabajo en grupo, consideración de la literatura transcultural, establecimiento de tutorías entre iguales, etc. Para poder disfrutar de una educación de calidad en todos los sentidos, no podemos obviar esta dimensión cultural de la inclusión educativa. Las alumnas y alumnos extranjeros necesitan atención específica de sus docentes, de sus compañeros y compañeras y del resto de instancias; conforman un grupo que debe sentirse acogido por la comunidad educativa y los centros están capacitados para conseguir este objetivo. Así pues, desde la organización de centro deben preverse apoyos fuera o dentro del aula y del horario lectivo, siempre evitando excluir. Además, dado que el aumento de alumnado extranjero en nuestro país ha sido notable en las últimas décadas, especialmente en centros de titularidad pública, se han puesto en marcha programas para lograr que estas personas se integren en el sistema.

Programa de Acogida al Sistema Educativo

El Programa de Acogida al Sistema Educativo (PASE), actualmente integrado en el Contrato-Programa de la Generalitat Valenciana, es un programa específico de la Comunitat Valenciana que se centra en la atención al alumnado inmigrante. El PASE formaba parte del Programa de Acogida e Integración Educativa. La finalidad del PASE no es solo que estos estudiantes puedan comunicarse y relacionarse en el país, sino que se integren académicamente, que aprueben las asignaturas y que permanezcan en el sistema educativo. En resumen, es un programa temporal que dota al alumnado recién llegado de conocimientos básicos, tanto lingüísticos como curriculares.

Los destinatarios del PASE deben ser recién llegados y, además, desconocedores de las dos lenguas oficiales de la Comunitat Valenciana. Pueden tener carencias de otros conocimientos básicos curriculares. Desde el área de Lengua Castellana y

Literatura deberíamos abordar esta atención desde dos perspectivas para conseguir un aprendizaje integrado de la lengua y los contenidos:

✧ **Socializadora**: se busca el desarrollo de la competencia social y se trata de aprender la L2 por comunicación.

✧ **De acceso al currículo**: se busca el desarrollo de la competencia académica y se trata de aprender la L2 por instrucción.

Por ello, el enfoque CLIL para este tipo de alumnado propone impartir las materias no lingüísticas en castellano y valenciano (que serán las extranjeras para estos alumnos) en vez de inglés o francés. Esta medida pretende acelerar el proceso de adaptación para ofrecerle lo mejor a este sector del alumnado, cada vez más presente en los centros ordinarios.

Plan de Refuerzo, Orientación y Apoyo

El Plan de Refuerzo, Orientación y Apoyo (PROA), también integrado en el Contrato-Programa de la Generalitat Valenciana, es un proyecto de cooperación territorial entre el Ministerio de Educación y Ciencia y las Comunidades Autónomas. El PROA se desarrolla en colegios de Educación Primaria y en institutos de Educación Secundaria para abordar las necesidades asociadas al entorno sociocultural del alumnado mediante un conjunto de programas de apoyo a los centros educativos, de manera que se busca la mejora de los aprendizajes y el éxito escolar de estos alumnos, así como propiciar su integración escolar y aumentar la cohesión social, ampliando las posibilidades educativas del entorno y contando con la participación de las familias.

La dirección de los objetivos es doble. Por un lado, se lucha contra la desigualdad garantizando la atención a los colectivos más vulnerables y, por otro, se mejora su formación para prevenir los riesgos de exclusión social. Para ello se prevén tres líneas:

PAE 1. Programa de acompañamiento escolar en centros de educación primaria.

PAE 2. Programa de acompañamiento escolar en centros de educación secundaria.

PAE 3. Programa de apoyo y refuerzo a centros de educación secundaria.

Los puntos estratégicos de los tres subprogramas son los siguientes:

✧ Lograr el acceso a una educación de calidad para todos
✧ Enriquecer el entorno educativo
✧ Implicar a la comunidad local

Los alumnos a los que va dirigido son aquellos que se encuentran en estas situaciones:

✧ Presentan desventaja desde el punto de vista académico o social.
✧ Tienen dificultades en el aprendizaje, sobre todo, en las áreas instrumentales.
✧ No tienen establecidas rutinas de trabajo y hábito de estudio.
✧ Carecen de apoyo de sus familias a nivel escolar, pero sí compromiso de colaboración para seguir el programa.

Actuaciones educativas de éxito

La planificación por ámbitos de conocimiento

Como se ha visto en un apartado anterior respecto del funcionamiento de PMAR y PR4, resulta fundamental en estos programas planificar el aprendizaje por ámbitos de conocimiento. Para ello, resulta fundamental planificar las sesiones también por ámbitos. El éxito de este tipo de organización disciplinar para la atención a la diversidad explica que, ante el desajuste pedagógico que se produjo en la primavera de 2020 con el confinamiento domiciliario provocado por la pandemia por COVID-19, el curso siguiente muchas administraciones recomendaran —o decretaran— este tipo de docencia para el primer curso de la ESO: hasta este momento, ni se aplicaba tan pronto ni tampoco se había probado con la totalidad del estudiantado.

Respecto a la programación del ámbito lingüístico-social en los programas PMAR y PR4, esta debe integrar las actividades de comprensión de procesos sociales y desarrollo de las habilidades lingüístico-comunicativas; así lo hacen los autores que han publicado sobre el tema, fruto de su larga experiencia docente con estos grupos, como Ana María Benedé Bara (2003), José Ignacio Madalena Calvo (1995; 2001), Aguas Vivas Catalá Gonzálvez (Madalena y Catalá, 2001) o Felipe Zayas (Zayas y Madalena, 1995). Por lo que a Lengua Castellana y Literatura se refiere, el objetivo es desarrollar la competencia comunicativa de los alumnos. En función de este objetivo se establecen los principios metodológicos. En los programas de diversificación se trabaja con secuencias didácticas en las que se integran los componentes del aprendizaje lingüístico. Por ejemplo, el objeto de aprendizaje y la metodología se pasa en un esquema. La conexión de los aprendizajes se asegura en el marco de una secuencia didáctica constituida por distintas fases de trabajo en las que el docente debe adaptarse a las necesidades (finalidad del programa, características de alumno y currículum). Así pues, según un esquema propuesto por Zayas y Madalena Calvo (1995), los principios metodológicos básicos son: interacción verbal, integrar el aprendizaje, leer y escribir para aprender.

Natacha Palomo, en su artículo «Programar para la diversidad» (1997), propone una secuencia didáctica basada en el aprendizaje con metáforas, que se concreta en la asignación de cuatro roles «metafóricos» en el proceso creativo (que corresponden a cuatro estilos de aprendizaje), con el objetivo de que cada persona se sienta experta y analice, según su papel, dónde se producen los problemas en su proceso de aprendizaje:

- ❖ **Explorador** (investigación: recogida de información en diversas fuentes; búsqueda de materiales nuevos, etc.)
- ❖ **Artista** (planificación: plan para transformar la información en ideas comunicables)
- ❖ **Juez** (revisión: proceso de toma de decisiones)

✧ **Guerrero** (producción: desarrollar una estrategia concreta y luego ponerla en relación con sus objetivos).

Una de las metodologías docentes que mayor éxito ha tenido, entre otros aspectos, para responder a las necesidades que implica atender la diversidad del alumnado es el planteamiento cooperativo del aprendizaje.

Aprender conjuntamente estudiantes diferentes

Con el título *Aprender juntos alumnos diferentes*, Pere Pujolàs (2004) crea un paradigma en el que contempla las claves para llevar a cabo una verdadera educación inclusiva, es decir, donde todos los discentes equiparen sus oportunidades para alcanzar los objetivos marcados. Para Pujolàs, la inclusión educativa es más que un método: es una «forma de vivir» (Pujolàs, 2004, p. 15), y lo plantea partiendo de tres consideraciones:

✧ La inclusión está relacionada con los valores de convivencia, la aceptación mutua de las diferencias, la tolerancia y el respeto, pero además se relaciona con la necesidad de cooperar para alcanzar los fines de la educación.

✧ La inclusión está relacionada con la calidad de la educación, en la medida que garantiza la igualdad de oportunidades para todos los alumnos, en atención a sus peculiaridades y diferencias.

✧ La inclusión se diferencia de otros modelos educativos porque requiere aceptar a todo el mundo, educando a todos en aulas y centros «normales».

Una reflexión sobre este proceso le lleva a establecer cinco «condiciones que hacen posible una escuela para todos», las cuales quedan enumeradas en el siguiente listado (Pujolàs, 2004, pp. 37-65):

1. Resituar la escuela en su lugar, como una comunidad de aprendizaje al servicio de la comunidad.
2. Plantear una base curricular realmente común.
3. Programar para que todos puedan aprender.
4. Fomentar la autonomía del alumnado.
5. Organizar el trabajo en el aula de manera que puedan aprender juntos alumnos diferentes.

Derivado de este último punto surgen como recomendación las metodologías que contemplan los equipos de aprendizaje cooperativo en las aulas (Wang, 1995; Gavilán, 2000; Pujolàs, 2001, etc.). Experiencias basadas en este tipo de organización metodológica, como las recogidas por Calvo y Cano (2015), muestran su capacidad y flexibilidad para diversificar los contenidos y los aprendizajes en el aula. Sin embargo, cabe distinguir el concepto de «trabajo agrupado» (suma de trabajos individuales, mero reparto de tareas o unión de distintos miembros sin que se dé coordinación, organización o condiciones previas) del verdadero «trabajo en grupo» (todos los integrantes son copartícipes del objetivo común: participan al mismo tiempo de las tareas, y en cada una de ellas se requiere el consenso de todos los miembros, aunque el esfuerzo recaiga en unos integrantes más que en otros). Para ello, se requiere «trabajo cooperativo», que implica unión, coordinación y cooperación, realidad que normalmente se da en el seno de grupos colaborativos, pero en realidad puede darse cooperación entre estudiantes sin la necesidad de formar grupos de trabajo estables (Fuentes, Ayala, Galán y Martínez, 2000). La ventaja de establecer agrupaciones de estudiantes es que las normas y los roles quedan definidos y el docente puede guiar mejor el proceso de aprendizaje de todos los integrantes.

El aprendizaje cooperativo

En los años 70, después de una época en que los métodos de enseñanza cayeron en desprestigio, se empezó a recuperar la preocupación por cómo enseñar. Joyce y Weil (2002), dos de los autores pioneros en este resurgimiento, se centraron en describir los diferentes modelos de enseñanza y sus ventajas según para qué objetivos. Su tesis principal sería que el conocimiento de diversas metodologías aumenta las posibilidades de que un o una docente aplique aquella que mejores aprendizajes y resultados desarrollará en sus estudiantes.

El aprendizaje cooperativo, metodología más conocida en el ámbito internacional con las siglas CL (*cooperative learning*), fue desarrollada por autores como David W. Jonhson y Roger T. Jonhson (1975), e introducida en España por Lew Barnett (1999), según nos cuenta Daniel Cassany en su experiencia con alumnos de ELE (español como lengua extranjera) (Cassany, 2004). La filosofía del aprendizaje cooperativo tiene que ver con la máxima de Séneca *Qui docet discet* («quien enseña, aprende»): el alumno aprende más cuando hace el esfuerzo de explicar lo que sabe a sus compañeros; es más, justamente en ese proceso es posible que encuentre tanto lagunas de comprensión que ignoraba tener —o que pensaba que comprendía— como la motivación necesaria para seguir aprendiendo. Además, la bibliografía es unánime: siempre que se consiga transmitir al aprendiz los beneficios de la cooperación entre iguales frente a la competición individualista, este se mostrará interesado y activo por el aprendizaje del otro, porque se dará cuenta de que ayudando a aprender aumentan sus propios conocimientos, así como sus habilidades sociales y su propia satisfacción personal.

Algunas técnicas de trabajo cooperativo

La agrupación de estudiantes puede tener lugar en diferentes formas de equipo (Pujolàs, 2004, p. 82), que básicamente serían los equipos base (constantes en el tiempo), los equipos esporádicos (formados para una tarea en concreto) y los equipos expertos (cuyo objetivo y contenidos de aprendizaje es diferente entre ellos).

Cuando la dinámica de grupo se realiza con la agrupación natural del alumnado, podemos hablar de asamblea de clase, que sería el tipo de agrupamiento que se realiza en técnicas como la tertulia dialógica. Sin embargo, la asamblea tiene un objetivo diferente a las agrupaciones menores: no se trata de compartir puntos de vista, sino de resultar persuasivos y llegar a un acuerdo sobre un problema que previamente haya surgido. Para atender a la diversidad y conseguir que todos participen en la asamblea de la clase, evitando al mismo tiempo que nadie imponga su punto de vista, Pujolàs recoge dos técnicas (2004, pp. 111-114) que toma de Fabra (1992):

La **técnica del grupo nominal** implica que todos escriban sus ideas, y luego que, por turno, escojan una no mencionada para compartirla con el resto, hasta que queden todas anotadas en la pizarra. Luego, se jerarquizan las ideas, se votan y se discuten los resultados para lograr una decisión conjunta.

Con la **técnica de las dos columnas** se anotan los aspectos positivos y los aspectos negativos de cada alternativa planteada. Se trata de un listado de pros y contras, ordenado por columnas, cuya visualización ayude al grupo a decidir.

Entre otras técnicas para la organización y dinamización de equipos cooperativos, propuestas por pedagogos de prestigio internacional y recogidas por autores como Fritzen (1988), Fabra (1992), Fuentes, Ayala, Galán y Martínez (2000), Bonals (2000), Pujolàs (2004), etc., podemos mencionar las siguientes:

La **técnica TAI** (*team asisted individualization*), creada por Robert Slavin en los años 80, compagina la atención educativa individualizada con el trabajo grupal, por lo que responde a las necesidades de la atención a la diversidad.

La **tutoría entre iguales** (*peer tutoring*) se da en el contexto de parejas del mismo curso, entre cuyos miembros se da una relación pedagógica donde uno desempeña el rol de tutor y el otro, de tutorizado.

Los **grupos de investigación** se crean para estudiar a fondo un tema, cuyo resultado suele exponerse en forma de trabajo académico y/o presentación o defensa oral ante la clase. Una concreción de este tipo de grupos es la técnica **Coop-Coop**, creada por Spencer Kagan en 1985, que parte de una discusión o debate en clase y requiere presentaciones en equipo para su evaluación.

La **técnica TGT** (*Teams-Games Tournaments*), creada por De Vries y Edwards, se inspira en el funcionamiento de los equipos de competición y en los juegos de mesa en equipo, donde el objetivo es cooperar con el propio equipo para hallar el máximo de respuestas correctas posibles.

La **técnica de dos al cubo** (2^3), inaugurada en el Máster de Profesorado de Educación Secundaria de la Universitat de València, se inspira en otras como Philips 66 o Round Robin, pero tiene una organización concreta que difiere de ellas, la cual asegura la participación ponderada de todos y la unificación e intercambio productivo de ideas en un lapso muy reducido de tiempo: se crean parejas improvisadas para generar ideas o aportaciones sobre un tema durante dos minutos, nombrando como portavoz a la persona más tímida o reacia. Acabado el tiempo, las parejas se unen a pares y son los portavoces quienes inician el intercambio de información, llegando entre los cuatro, y en el tiempo de dos minutos, a una unificación que el más tímido de los dos portavoces expondrá en la última agrupación, la que se producirá con otro grupo de cuatro. Al cabo de cuatro minutos de debate, el portavoz elegido, representante final de los ocho integrantes, será considerado el «guerrero» encargado de exponer las conclusiones frente grupo clase y defenderlas en el «ruedo», frente a las aportaciones de los otros tres o cuatro «guerreros» (según el número de estudiantes presentes), de manera que con la dinámica se obtienen las aportaciones de todas las personas y se integra a las más reacias o reservadas, graduando el nivel de ansiedad y reforzando progresivamente la seguridad en sí mismas (dado que en cada paso van defendiendo ideas previamente aprobadas por los miembros a quienes representan).

Los grupos puzle de Aronson

Dentro de la concepción del aprendizaje como proceso cooperativo entre iguales, Elliot Aronson (1978) creó unas pautas concretas para aplicarlo en el aula, y las reunió bajo el ya conocido nombre de *Jigsaw* (puzle o rompecabezas). La metodología que él proponía, a grandes rasgos, parte de una distribución de tareas dentro de un grupo de trabajo. Según Aronson, es tarea del profesor o profesora proponer la composición de estos grupos según los criterios que crea oportunos, así como seleccionar la materia y dividirla en porciones —tantas como integrantes de cada equipo—. Cada estudiante profundiza en su parte y, a fin de especializarse en los conocimientos que ella requiere, se reúne con los integrantes de los demás grupos del aula que tengan asignada su misma tarea. El profesorado siempre ha de mostrarse accesible para ir proporcionando material o para asesorar a sus estudiantes en sus decisiones. El objetivo de estos «grupos expertos» es llegar a un nivel avanzado de dominio de su materia, preparándose para transmitirla a sus compañeros de origen. Efectivamente, el proceso no termina hasta que los grupos puzle iniciales se recomponen, y cada persona experta comparte con su equipo base sus textos, resúmenes y actividades para que con menor esfuerzo todos los miembros puedan aprovechar todo el trabajo que él o ella ha realizado.

Según los estudiosos que han investigado sobre este proceso, los efectos educativos que se obtienen, si se logra desarrollar de manera satisfactoria, van desde la propia apreciación personal —aumento de la autoestima al comprobar que se es capaz de aprender de manera más o menos autónoma e incluso de enseñar a otros—, el desarrollo del compromiso con los compañeros y de estrategias de autoexigencia o la mejora de la actitud de escucha hasta el aumento objetivo del rendimiento académico.

La metodología de Aronson fue pronto desarrollada por otros profesores, como Robert E. Slavin, quien se refiere a ella como *Jigsaw II* (Slavin, 1980), García, Traver y Candela (2001) o Pujolás (2004). Para el área de Lengua Castellana y Literatura, resulta innovadora su aplicación al aprendizaje ortográfico desde el curso 2010-2011 (García, Rosell y Saneleuterio, 2012; Saneleuterio, Rosell y García, 2012).

Terapias de choque

La terapia de choques (*shock therapy*) se emplea como tratamiento siquiátrico de dolencias como ansiedad, depresión profunda o ciertas enfermedades mentales. Consiste en la inducción deliberada y controlada de alguna forma de estado de choque fisiológico en un individuo, desde la premisa de que induce mejoras en la recuperación del paciente. La etiqueta engloba prácticas muy diferentes entre sí, que tienen en común producir un impacto fuerte a consecuencia del cual necesariamente cambian en el individuo actitudes, miedos, concepciones o maneras de enfrentarse al mundo.

Trasladándolo al mundo educativo, utilizamos metafóricamente esta expresión para referirnos a iniciativas pedagógicas muy llamativas, que no dejan indiferente al alumnado, las cuales se producen por sorpresa y ocupan un lapso temporal relativamente breve.

Algo así requiere un diseño innovador que no pueda ser previsto por el grupo, pues para que funcione es necesario sorprenderlo: es en ese momento cuando los roles y las actitudes aprendidas no sirven, pues la situación que se crea en el aula (o en el espacio que se considere) no es esperada y no se tienen claves de respuesta. Iniciativas basadas en esta idea pueden ser una herramienta útil para grupos difíciles o donde se han instaurado relaciones interpersonales tóxicas y discriminaciones causadas por la presencia de personas con cualquier tipo de diversidad.

Un ejemplo de acción educativa exitosa en este contexto sería el proyecto de los coreógrafos Wilfried Van Poppel y Amaya Lubeigt, quienes visitan institutos y, con sus propuestas pedagógicas nada al uso, consiguen lo inimaginable: romper los roles establecidos entre los estudiantes y crear nuevas vías de expresión y comunicación. La experiencia la recoge la película documental *Five days to dance*, dirigida por los valencianos Pepe Andreu y Rafa Molés (2014).

Otras propuestas

Otras propuestas para llegar a sectores concretos del alumnado pueden basarse en libros que novelizan o poetizan el contenido curricular lingüístico y literario de la Educación Secundaria, de una manera parecida a como lo hizo el noruego Jostein Gaarder (1991) con *El mundo de Sofía* (*Sofies werden*), novela muy utilizada en Filosofía de 1.º de Bachillerato. Algunos ejemplos de este estilo que pueden servir para atender a la diversidad en Lengua Castellana y Literatura, en la medida que pueden motivar a quienes presentan una inclinación natural hacia la anécdota, la historia, la narrativa o la lírica serían los siguientes:

   ✧ *Una lengua muy larga*, de Lola Pons (2016), o mejor su cuarta edición (Pons, 2020a)
   ✧ *¡Abducidos! Lucía, el profe y 30 más*, de Ángel Prieto (2018)
   ✧ *Loción de lengua*, de Juan Ramón Torregrosa (2020)
   ✧ *El árbol de la lengua*, también de Pons (2020b)

Recursos en línea

Antiguo programa de compensación educativa de la Generalitat Valenciana: http://www.ceice.gva.es/web/innovacion-calidad/programa-de-compensacion-educativa

Convocatoria de Contrato-Programa de la Generalitat Valenciana: http://www.ceice.gva.es/web/innovacion-calidad/contrato-programa

El cazo de Lorenzo. Álbum ilustrado de Isabelle Carrier y corto basado en el cuento: https://www.youtube.com/watch?v=upDli7rcGoI
https://www.youtube.com/watch?v=5pUmAOTQqCg

Equipo Ágora. «El amor no es la ostia» [proyecto didáctico para la prevención de la violencia en la pareja]. http://www.eudel.eus/es/archivos/documento/825/categoria/668

Fundación CADAH: https://www.fundacioncadah.org/web/articulo/el-tdah-como-trastorno-de-las-funciones-ejecutivas-aplicaciones-para-su-manejo-en-el-aula.html

Junta de Extremadura (2018). *Rincón Didáctico. Orientación y Atención a la Diversidad*. https://orientacion.educarex.es/index.php

Programa de diversificación curricular: http://www.ceice.gva.es/web/ordenacion-academica/secundaria/programa-de-diversificacion-curricular

Resolución de 28 de julio de 2016, de la Secretaría Autonómica de Educación e Investigación, por la que se dictan instrucciones para la aplicación de los Programas de mejora del aprendizaje y del rendimiento para el curso 2016-2017. http://www.dogv.gva.es/datos/2016/08/02/pdf/2016_6215.pdf

Reynolds, Peter H. (2003). *El punto [The Dot]*. Barcelona: RBA. https://www.youtube.com/watch?v=9fGD_NW0SHU

Robinson, Ken (2011). El sistema educativo es anacrónico [entrevista por Eduardo Punset]. *Redes*. Capítulo disponible en *RTVE A la carta*: http://www.rtve.es/alacarta/videos/redes/redes-sistema-educativo-anacronico/1044110/

Para saber más

Andreu, J., y Molés, R. (2014). *Five days to dance* [película documental]. Tráiler disponible en: https://www.filmaffinity.com/es/evideos.php?movie_id=890210

Ainscow, M. (2001). *Desarrollo de escuelas inclusivas. Ideas, propuestas y experiencias para mejorar las instituciones escolares*. Madrid: Narcea.

Alcudia, R., *et allii* (2000). *Atención a la diversidad*. Barcelona: Graó.

Alonso Tapia, J. (1995). *Orientación educativa. Teoría, evaluación e intervención*. Madrid: Síntesis.

Arlandis, S. (2021). *El desafío de la lectura. Educación literaria y formación lectora de futuros maestros*. València: Tirant Lo Blanch.

Aroca, C., Ros, C., y Varela, C. (2016). Programa para el contexto escolar de prevención de violencia en parejas adolescentes. *Educar*, 52(1), 11-31. http://dx.doi.org/10.5565/rev/educar.673

Aronson, E. (1978). *The Jigsaw classroom*. Beverly Hills: Sage.

Barnett, L. (1995). El aprendizaje cooperativo y las estrategias sociales. *Aula 36*, 67-70.

Benedé Bara, A. M.ª (2003). *Diversificación I: ámbito lingüístico+social*. Madrid: Editex.

Bermúdez, S. (2015). Feminismo y responsabilidad social en el siglo XXI: Evaluaciones en torno a la violencia sexista en la España Constitucional. *Letras Femeninas*, 41(1) [número especial], 147-162.

Bonals, J. (2000). *El trabajo en pequeños grupos en el aula*. Barcelona: Graó.

Cabrera, Y., y Martínez-Bello, V. (2014). «Libros para niñas y libros para niños»: Presencia de estereotipos de género en una colección de libros para dibujar. *Cuestiones de género: de la igualdad y la diferencia, 9*, 182-215. http://dx.doi.org/10.18002/cg.v0i9.1011

Calvo, R., y Cano, F. (eds.) (2015). *El aprendizaje cooperativo como práctica docente: experiencias aplicadas.* Valencia: Neopàtria.

Carrascosa, M. J., y Martínez Mut, B. (1998). *Cómo prevenir la indisciplina.* Madrid: Escuela Española.

Cassany, D. (2004). Aprendizaje cooperativo para ELE. *Actas del programa de formación para el profesorado de español como lengua extranjera 2003-2004* (pp. 11-30). Instituto Cervantes.

Contreras, P., y Trujillo, M. (2014). Coeducación para la equidad: A propósito del corpus curricular de la educación chilena. Análisis desde una perspectiva de género. *Cuestiones de género: de la igualdad y la diferencia,* n.º 9, pp. 29-49. http://dx.doi.org/10.18002/cg.v0i9.1042

Diego, C., y González, M. (2014). La educación sexual en la escuela primaria: intento frustrado de los eugenistas. *Cuestiones de Género: de la igualdad y la diferencia,* n.º 9, pp. 158-181. http://dx.doi.org/10.18002/cg.v0i9.1150

De la Encarnación, A. M.ª (2015). Glosario de términos vinculados al discurso del logro de la igualdad. En Abril, R. (dir.), *Mujer, participación política y violencia.* Barcelona: Huygens, pp. 441-557.

Domínguez Alonso, J., López Castedo, A., y Vázquez Varela, E. (2016). Atención a la diversidad en la educación secundaria obligatoria: Análisis desde la inspección educativa. *Aula Abierta, 44*(2), 70-76. http://dx.doi.org/10.1016/j.aula.2016.03.002

Essomba, M. À. (2008). *10 ideas clave. La gestión de la diversidad cultural en la escuela.* Barcelona: Graó.

Fabra, M.ª L. (1992). *Técnicas de grupo para la cooperación.* Barcelona: CEAC.

Fernández-Llebrez, F., y Camas, F. (2012). *Cambios y persistencias en la igualdad de género de los y las jóvenes en España (1990-2010).* Madrid: Instituto de la Juventud.

Frisa, M. (2015). *75 consejos para sobrevivir a los exámenes. Manual patentado por mí misma (y por María Frisa) para hacerte la vida más fácil.* Barcelona: Alfaguara.

Fritzen, S. J. (1988). *70 ejercicios prácticos de dinámica de grupos.* Cantabria: SalTerrae,

Fuentes, P., Ayala, A., Galán, J. I., y Martínez, P. (2000). *Técnicas de trabajo en grupo. Una alternativa en educación.* Madrid: Pirámide.

Gaarder, J. (1991). *Sofies werden.* Trad. esp.: *El mundo de Sofía.* Círculo de Lectores, 1997.

García, G., Rosell, M., y Saneleuterio, E. (2012). The cooperative work of spelling rules. *EDULEARN Proceedings.* Valencia: AITED.

García, R., Traver, J. A., y Candela, I. (2001). *Aprendizaje cooperativo. Fundamentos, características y técnicas.* Madrid: CCS.

García Guinarte, J. R. (2020). *Sistema de Inteligencia Ortográfica SIO.* Instituto de Neurociencia y Alto Rendimiento.

Gardner, H. (1983). *Frames of Mind: The Theory of Multiple Intelligences.* New York: Basic Books.

Gardner, H. (2008). *Las cinco mentes del futuro* (edición ampliada y revisada). Barcelona: Paidós Ibérica.

Garrido, V., y Casas, M. (2009). La prevención de la violencia en la relación amorosa entre adolescentes a través del taller 'La máscara del amor'. *Revista de Educación, 349,* pp. 335-360. http://www.revistaeducacion.mec.es/re349/re349_16.pdf

Gavilán, P. (2000). Aprendizaje cooperativo: una alternativa eficaz para atender a la diversidad. En *Atención a la diversidad* (pp. 143-152). Barcelona: Graó.

Gervilla, E. (2000). Un modelo axiológico de educación integral. *Revista Española de Pedagogía, 215* (1), 39-58.

Gervilla, E. (2008). Buscando valores: análisis de contenido axiológico y modelo de educación integral. En J. M. Touriñán (dir.), *Educación en valores, sociedad civil y desarrollo cívico* (pp. 56-73). La Coruña: Netbiblio.

Gómez López, N., y Fernández Campoy, J. M. (eds.) (2020). *Las metodologías didácticas innovadoras como estrategia para afrontar los desafíos educativos del siglo XXI.* Dykinson.

González, D. (2013). La atención a la diversidad en la LOMCE. En C. Marchena (ed.), *La LOMCE. Claves para el profesorado* (pp. 99-122). Editorial Anaya: Madrid.

González-Gil, F., y Martín-Pastor, E. (2014). Educación para todos: formación docente, género y atención a la diversidad. *Cuestiones de género: de la igualdad y la diferencia,* n.º 9, pp. 11-28. http://dx.doi.org/10.18002/cg.v0i9.1151.

Gotzens, C. (1986). *La disciplina en la escuela.* Madrid: Pirámide.

Gregori, P. (2007). Algo más para avanzar en coeducación. *Revista El Clarión, 17,* 8-9.

Jenaro, C., Flores, N., y Castaño, R. (2014). Actitudes hacia la diversidad: El papel del género y de la formación. *Cuestiones de género: de la igualdad y la diferencia, 9,* 50-62. http://dx.doi.org/10.18002/cg.v0i9.1148.

Jiménez Llanos, A. B., y Correa Piñero, A. D. (2003). Concepciones del profesorado de Infantil y Primaria, Secundaria y Superior sobre la Disciplina y Gestión del Aula. *Qurriculum: Revista de teoría, investigación y práctica educativa, 16,* 87-104. http://revistaq.webs.ull.es/ANTERIORES/numero16/jimenez.pdf

Jonhson, D. W., y Jonhson R. T. (1975). *Learning Toghether and Alone; Cooperative, Competitive and Individualistic Learning.* Englewood Cliffs: Prentice Hall.

Joyce, B., y Weil, M. (2002). *Modelos de enseñanza.* Barcelona: Gedisa.

Ley Orgánica 3/2007, de 22 de marzo, para la Igualdad Efectiva de Mujeres y Hombres, *BOE,* 71, 12611-12645.

Ley Orgánica 8/2013, de 9 de diciembre, para la Mejora de la Calidad Educativa, *BOE,* 295, 97858-97921.

L'Hôtellerie López, R. (2009). *La acción del voluntariado en las aulas de educación secundaria: un estudio sobre prevención y tratamiento de problemas de disciplina.* Tesis doctoral. Universidad Nacional de Educación a Distancia.

López-García-Torres, R. (2012). *Valores de la Ley de Educación de Andalucía y sus implicaciones educativas.* Granada: Servicio de Publicaciones de la Universidad de Granada.

López-García-Torres, R., y Saneleuterio, E. (2016). El valor de la palabra en la prevención de la violencia de género en contextos educativos. *Cuestiones de género: de la igualdad y la diferencia, 11,* 105-128. http://dx.doi.org/10.18002/cg.v0i11.3639

López-García-Torres, R., y Saneleuterio, E. (2017). Decálogo verbal para prevenir la violencia de género en la escuela. *Marbella News,* 12 de febrero. http://marbellanews.opennemas.com/opinion/rocio-lopez/decalogo-prevenir-violencia-genero-escuela/20170212232316001943.html

Lorenzo Vicente, J. A. (1996). Evolución y problemática de la Educación Secundaria contemporánea en España. *Revista complutense de educación, 7* (2), 51-80.

Madalena Calvo, J. I. (1995). *Programa de diversificación curricular: ámbito lingüístico-social: Educación Secundaria Obligatoria.* Valencia: Direcció General d'Ordenació i Innovació Educativa.

Madalena Calvo, J. I. (2001). La globalización del currículo y la atención a la diversidad: el ámbito lingüístico-social en el programa de diversificación curricular. En Proyecto Gea-

Clío, Xosé Manuel Souto González (coord.), *La didàctica de la Geografia i la Història en un món globalitzat i divers* (pp. 131-143). Xàtiva: L'Ullal.

Madalena Calvo, J. I., y Catalá Gonzálvez, A. V. (2001). *Programa de adaptación curricular en grupo: ámbito lingüístico-social: Educación Secundaria Obligatoria*. Valencia: Direcció General d'Ordenació i Innovació Educativa i Política Lingüística.

Marchena, R. (2005). *Mejorar el ambiente en las clases de secundaria*. Málaga: Aljibe

Martín, E. (2006). Currículo y atención a la diversidad. *El currículo a debate, Revista PReLac, 3*, 112-120. http://ir.uv.es/7NhXon1

Martín Ezpeleta, A. (ed.) (2020). *Usos sociales en educación literaria*. Barcelona: Octaedro.

Muñoz, M.ª del M., y Fragueiro, M.ª S. (2013). Sobre el maltrato entre iguales. Algunas propuestas de intervención. *Escuela abierta: Revista de Investigación Educativa, 16*, 35-49.
http://www.ceuandalucia.es/escuelaabierta/pdf/articulos_ea16_pdf/mu%C3%B1oz%2035-49.pdf

Onrubia, J. (2000). La atención a la diversidad en la enseñanza secundaria obligatoria. Algunas reflexiones y criterios psicopedagógicos. En *Atención a la diversidad* (pp. 115-126). Barcelona: Graó.

Ortega, R., y Del Rey, R. (2003). *La violencia escolar. Estrategias de prevención*. Barcelona: Graó.

Ortega, R., Ortega-Rivera, J., y Sánchez, V. (2008). Violencia sexual entre compañeros y violencia en parejas adolescentes. *International Journal of Psychology and Psichological Therapy, 1*(8), 63-72.

Palomo, N. (1997). Programar para la diversidad. *Textos de Didáctica de la Lengua y de la Literatura, 13*, 103-114.

Parrilla, Á. (2002). Acerca del origen y sentido de la educación inclusiva. *Revista de Educación, 327*, 11-29. http://www.mecd.gob.es/dctm/revista-de-educacion/articulos327/re3270210520.pdf?documentId=0901e72b81259a76

Pineda-Alfonso, J. A., y García Pérez, F. F. (2014). Convivencia y disciplina en el espacio escolar: discursos y realidades. *Scripta Nova: Revista electrónica de geografía y ciencias sociales, 18*, 496. http://www.ub.edu/geocrit/sn/sn-496/496-05.pdf

Pons, L. (2016). *Una lengua muy larga. Cien historias curiosas sobre el español*. Barcelona: Arpa.

Pons, L. (2020a). *El árbol de la lengua*. Barcelona: Arpa.

Pons, L. (2020b). *Una lengua muy muy larga. Más de cien historias curiosas sobre el español* (4.ª ed.). Barcelona: Arpa.

Prieto, Á. (2018). *¡Abducidos! Lucía, el profe y 30 más*. Bubok.

Pujolàs, P. (2001). *Atención a la diversidad y aprendizaje cooperativo en la educación obligatoria*. Málaga: Aljibe.

Pujolás, P. (2004). *Aprender juntos alumnos diferentes. Los equipos de aprendizaje cooperativo en el aula*. Barcelona: Octaedro.

Rodríguez, M.ª del C. (2003). La contribución de la escuela al logro de identidades de género no estereotipadas. *Investigación en la Escuela, 50*, Monográfico «Mujeres, feminismo y coeducación», 57-66.

Rodríguez, R. I., y Luca de Tena, C. (2001). *Programa de habilidades sociales en la ESO*. Málaga: Alijbe.

Romito, P., y Grassi, M. (2007). Does violence affect one gender more than the other? The mental health impact of violence among male and female university students. *Social Sciences and Medicine, 65*, 1222-1234.

Rosero Arrieta, F., López Aguirre, A., y Matamoros Encalada, S. (2009). Sistema de control y evaluación de exámenes teóricos y prácticos para los cursos de la academia microsoft-

ESPOL. *Revista tecnológica* *ESPOL.* http://www.dspace.espol.edu.ec/bitstream/123456789/1113/1/2135.pdf

Sánchez, E., Robertson, T. R., Lewis, C. M., Rosenbluth, B., Bohman, T., y Casey, D. M. (2001). Preventing bullying and sexual harassment in elementary schools: The Expect Respect model. *Journal of Emotional Abuse,* 2 (2-3), 157-180. http://dx.doi.org/10.1300/J135v02n02_10

Saneleuterio, E., Rosell, M., y García, G. (2012). *Trabajo cooperativo para el aprendizaje de las reglas ortográficas.* Madrid: CEU Ediciones.

Save the Children (2014). *Pobreza infantil y exclusión social en Europa. Una cuestión de derechos.* Bruselas. https://www.savethechildren.es/sites/default/files/imce/docs/europa_pobreza_infantil_y_exclusion_social_en_europa.pdf

Simón, M.ª E. (2011). *La igualdad también se aprende: Cuestión de coeducación.* Madrid: Narcea, 2.ª ed.

Slavin, R. E. (1980). *Using student team learning.* Baltimore: Center for Social Organization of Schools, Johns Hopkins University.

Sternberg, R. J. (1985). *Beyond IQ: A Triarchic Theory of Intelligence.* Cambridge: Cambridge University Press.

Tirado, V. (2000). Las diversificaciones del currículum: una respuesta educativa para alumnos y alumnas con importantes dificultades de aprendizaje. En *Atención a la diversidad* (pp. 127-142). Barcelona: Graó.

Tomlinson, C. A. (2001). *El aula diversificada. Dar respuesta a las necesidades de todos los estudiantes.* Barcelona: Octaedro (2.ª ed. 2008).

Torregrosa, J. R. (2020). *Loción de lengua.* Málaga: EDA.

Vaello Orts, J. (2003). *Resolución de conflictos en el aula.* Madrid: Santillana.

VV. AA. (2008). *Guía de Coeducación. Síntesis sobre la Educación para la Igualdad de Oportunidades entre Mujeres y Hombres.* Madrid: Ministerio de Igualdad.

VV. AA. (2014). *Plan Estratégico de Igualdad de Oportunidades 2014-2016.* Madrid: Ministerio de Sanidad, Servicios Sociales e Igualdad.

Wang, M. C. (1995). *Atención a la diversidad del alumnado.* Madrid: Narcea.

Zayas, F., y Madalena Calvo, J. I. (1995). *Programa de Diversificación Curricular. Ámbito Lingüístico y Social.* Valencia: Generalitat Valenciana/Conselleria de Cultura, Educació i Ciencia.

El profesorado de Lengua Castellana y Literatura en el centro de Secundaria

Las competencias docentes y el desarrollo profesional

> El siglo XXI, que ofrecerá recursos sin precedentes tanto a la circulación y al almacenamiento de informaciones como a la comunicación, planteará a la educación una doble exigencia que, a primera vista, puede parecer casi contradictoria: la educación deberá transmitir, masiva y eficazmente, un volumen cada vez mayor de conocimientos teóricos y técnicos evolutivos, adaptados a la civilización cognoscitiva, porque son las bases de las competencias del futuro. Simultáneamente, deberá hallar y definir orientaciones que permitan no dejarse sumergir por la corriente de informaciones más o menos efímeras que invaden los espacios públicos y privados y conservar el rumbo en proyectos de desarrollo individuales y colectivos. En cierto sentido, la educación se ve obligada a proporcionar las cartas náuticas de un mundo complejo y en perpetua agitación y, al mismo tiempo, la brújula para poder navegar por él. (Delors, 1996, p. 91)

Así comienza el informe Delors (1996), que desde hace más de veinte años viene insistiendo en la necesidad de que cada docente trascienda las competencias que le han sido asignadas para la impartición de su materia específica y adopte una perspectiva no solo global, sino también orientada hacia el futuro. Para una verdadera educación integral ajustada a las necesidades con las que los estudiantes de hoy se encontrarán a lo largo de su vida, Delors establece cuatro aprendizajes de desarrollo permanente en los que se fundamentan los pilares del conocimiento y que no han de concebirse como compartimentos estancos, en la medida en que están interconectados unos con otros:

◇ Aprender a conocer, que implica adquirir los instrumentos que nos ayudan a comprender conceptos y procesos.

◇ Aprender a hacer, indispensable para poder influir sobre el entorno, pero que debe entenderse como aprendizaje subsidiario del aprender a conocer.

◇ Aprender a vivir juntos, que asegura la participación y cooperación en las diversas actividades humanas, con actitudes democráticas y conciliadoras.

✧ Aprender a ser, proceso fundamental de síntesis que recoge elementos de los tres focos anteriores.

Conseguir que cada escolar desarrolle estos aprendizajes es tarea conjunta de la comunidad educativa, misión para la cual resulta indispensable contar con una buena coordinación docente.

La coordinación del profesorado

El trabajo educativo de un centro puede compararse con un concierto de una gran orquesta, en el cual cada instrumento desempeña un rol en cierto modo independiente, pero sin perder de vista el trabajo de los demás, es decir, sabiendo colaborar y sincronizarse con el resto de elementos para tocar la misma canción. En el caso de la educación, son docentes diferentes quienes deben coordinarse, para desde la especificidad de sus áreas, seguir el mismo camino y alcanzar un objetivo educativo común.

Los centros educativos hoy en día tienen cierta autonomía organizativa que ha de saberse gestionar, y no toda la responsabilidad recae en el equipo directivo.

La coordinación entre los distintos miembros del equipo docente requiere acuerdos previos y sintonía, y se manifiesta en la capacidad de trabajar en equipo. El acuerdo no siempre es fácil, porque ha de darse entre compañeros con características y procedencias diversas; sin embargo, es necesario, y de ahí la necesidad de formarse en dinámicas de grupos.

El trabajo en equipo

> El trabajo encomendado al profesorado requiere una labor en equipo. De la capacidad de llevarlo a cabo dependerá, en mucho, la calidad de los procesos y de los resultados educativos.
>
> (Bonals, 1996, p. 9)

El trabajo en equipo requiere organización adecuada por parte del centro, actitudes y clima favorables, así como formación específica de los integrantes.

Cuando estos requisitos no se dan, las dificultades del trabajo en grupo revierten en la comunidad educativa entera: se resienten las relaciones interpersonales entre los profesionales, no hay fluidez entre la dirección del centro y el profesorado, el alumnado percibe contradicciones más o menos evidentes, no hay buen entendimiento con las familias, etc. En definitiva, trabajar por solucionar los problemas de coordinación y trabajo en equipo aumenta la calidad educativa. Según Bonals (1996), este proceso pasa por dos grandes objetivos:

✧ Mejorar las relaciones en los equipos docentes.
✧ Mejorar el trabajo en grupo.

Mejorar las relaciones en los equipos docentes

La reciprocidad es un concepto clave en las relaciones que se establecen entre los miembros de cualquier equipo (Bonals, 1996). Según la teorización de Sartre (1963), estas relaciones pueden tener orientaciones opuestas.

En un extremo, se encuentran las relaciones de **reciprocidad positiva**, donde cada profesional se siente potenciado por sus compañeros en la realización de su trabajo, e incluso para conseguir metas personales. Tres son las características que definen la reciprocidad positiva:

- ◇ Todos obtienen aportaciones favorables del resto de miembros.
- ◇ Cada uno crece con los otros.
- ◇ Implican relaciones de confianza básica, pues se siente que el otro es un colaborador del propio bienestar.

Los obstáculos que interfieren en la positividad de las relaciones pueden renombrarse con el término «escasez»: siempre habrá momentos y contextos en que falten recursos, tiempo, de la misma manera que no existen cargos para todos ni opciones de elección que siempre resulten satisfactorias. El hecho que haya que priorizar evidencia la existencia de intereses diferentes entre las personas y puede generar luchas y rivalidad.

En el otro extremo, probablemente alimentadas por la mala gestión de la «escasez», se encuentran las relaciones de **reciprocidad negativa**. Bajo esta concepción, los otros son una amenaza para la consecución de las aspiraciones personales en la medida en que se percibe que interfieren en ellas. Las tres características de este tipo de reciprocidad son opuestas a las anteriormente citadas:

- ◇ El individuo pretende crecer a costa de los otros.
- ◇ Se percibe que los proyectos de los otros van en contra de los propios.
- ◇ Implican relaciones de desconfianza, porque no se ve que los demás se interesen ni crezcan con el proyecto propio.

También puede suceder que el proyecto colectivo interfiera en las aspiraciones personales de los miembros. Ante esta amenaza, debe cuidarse que los proyectos colectivos no sean desconsiderados hacia los intereses individuales de los miembros que los han de desarrollar —es decir, que se prioricen objetivos, se faciliten recursos y tiempo adecuado...— y que todos compartan los objetivos como interesantes para el propio proyecto personal.

El caso de los equipos docentes no escapa a estas dinámicas y realidades, por lo que una de las encomiendas será cuidar que las relaciones entre profesores o profesoras vayan encaminadas hacia la reciprocidad positiva. Asimismo, en la mejora de estas relaciones resulta fundamental la **posición de cada docente** en la situación escolar, tanto en el espacio físico como en la participación y toma de decisiones. Todos deberían disfrutar de una posición suficientemente gratificante y constructiva para enriquecer y enriquecerse (como profesionales y como personas): por ello, habría que tender a una posición proporcional, controlando a quienes se expanden, animando a quienes se retraen y evitando que nadie quede anulado, puesto que esto favorece la cohesión del grupo y posibilita la colaboración óptima.

Los equipos docentes deben ser conscientes de los roles que se asumen por parte de cada miembro, y para ello puede ser útil reflexionar sobre las **posiciones existenciales** generales (Jongeward y James, 1977):

- ✧ Positiva: supone una autoestima, un concepto de los demás y un autoconcepto adecuados; su lema sería «yo bien, tú bien». Si la posición es realista, facilita la resolución de problemas de manera constructiva y establece relaciones funcionales.
- ✧ Prepotente: presenta una autoestima alta, pero mal concepto de los demás («yo bien, tú mal»). Es una actitud individualista y prepotente que dificulta el trabajo en grupo.
- ✧ Acomplejada: implica baja autoestima y buen concepto de los demás («yo mal, tú bien»). No es una actitud resolutiva, es fuente de depresión e impotencia.
- ✧ Negativa: nada es positivo en esta posición existencial («yo mal, tú mal»), por ello resulta totalmente perjudicial y pesimista, además de generar numerosas dificultades para el trabajo en grupo.

Bonals (1996) establece dos últimos requisitos para que las relaciones en los equipos docentes sean satisfactorias. En primer lugar, la **actitud tolerante y el respeto a la diversidad** por parte de todos los integrantes:

- ✧ Es imprescindible para generar relaciones satisfactorias y gratificantes en los grupos de trabajo.
- ✧ Requiere aceptar que cada uno tiene unas aptitudes, ritmos y características diferentes, así como confiar en que la manera de ser propia será aceptada por el grupo.
- ✧ Un nivel de tolerancia alto hace más fácil la coordinación y aumenta la cohesión del grupo, pero también supone un esfuerzo y sufrimiento; por ejemplo, cuando con coincidimos con la manera de operar de la persona con la que estamos tratando.

No obstante, cabe tener presente que no todo es admisible: tolerar tiene un límite, y los límites deben marcarse claramente, así como aceptarse por parte de todos o discutirse previamente.

En segundo lugar, un requisito también importante es la existencia e intercambio de **gratificaciones**:

- ✧ Los reconocimientos o mensajes gratificadores explicitan que alguien siente aprecio o consideración por otra persona o por el trabajo que realiza.
- ✧ Incrementan la sensación de bienestar.
- ✧ Suelen darse de manera recíproca, por lo que es conveniente fomentarlas: una persona aceptada y querida suele ser capaz de gratificar con sinceridad a las personas de su entorno.

Mejorar el trabajo en grupo

Los contextos en los que el profesorado debe trabajar en grupo pueden englobarse en dos grandes situaciones: la coordinación horizontal y la vertical. Así, cada docente forma parte del equipo encargado de un grupo escolar concreto y, al mismo tiempo, forma parte del departamento encargado de su área de conocimiento. Como contexto general, todos en conjunto forman parte del claustro de profesorado. Además, dependiendo de tipo de acción se exigirá una actuación u otra: hay reuniones: informativas y reuniones de coordinación, por ejemplo, por lo que no siempre tiene lugar la discusión y la toma de decisiones.

Algunas competencias implicadas en las reuniones entre docentes son las siguientes:

- ✧ Enfrentarse a una situación comunicativa de hablar en público.
- ✧ Resolver problemas mediante la cooperación.
- ✧ Defender argumentos adaptándose a la situación comunicativa, con el objetivo de llegar al consenso, no de autoafirmarse en las propias ideas.
- ✧ Encajar críticas.

Para ello, es necesario poner en práctica habilidades sociales como la empatía, la moderación, la toma de decisiones en equipo, el autocontrol, el respeto, la capacidad de saber escuchar... Además de no olvidar que las discusiones deben aterrizar en el contexto educativo: en este sentido, resulta fundamental explorar situaciones verosímiles y no quedarse en utopías.

Algunas pautas para garantizar dinámicas adecuadas serían las siguientes:

- ✧ Cuidar la posición de cada miembro
- ✧ Garantizar el respeto a la diversidad
- ✧ Instalar el pensamiento de complementación
- ✧ Disminuir ansiedades
- ✧ Trabajar los roles
- ✧ Favorecer el diálogo

Asimismo, para para trabajar los roles cabe tener en cuenta que estos manifiestan la idiosincrasia individual, pero también las características contextuales. Hemos de tener claro que, lejos de ser inamovibles, los roles se pueden modificar con las dinámicas adecuadas; para ello, es necesaria la toma de conciencia colectiva acerca de los papeles y sus efectos.

Finalmente, para favorecer el diálogo se recomienda actuar en cuatro grandes ámbitos:

- ✧ manejar adecuadamente los silencios;
- ✧ controlar las interferencias acústicas;
- ✧ garantizar los turnos de palabra;
- ✧ cuidar la capacidad de escucha.

Estas dinámicas pretenden generar una interdependencia que debe ser considerada de manera positiva, en la medida en que constituye una de las características que señala Imbernón (2008) como prioritaria en el ejercicio de la competencia de cooperación entre docentes. Esta interdependencia, según el autor citado, debe darse no solo con el equipo educativo y la institución que lo acoge, sino también en relación con la comunidad entera y con la propia preparación cultural que se requiere: análisis crítico, capacidad reflexiva, conocimiento técnico, capacidad de adaptación, capacidad de trabajo en equipo o cooperativo, capacidad organizativa, etc.

Las competencias docentes

Existen documentos que tratan de definir el papel docente, como es el caso de la propuesta que encabeza José Antonio Marina, encargada por el Ministerio de Educación, Cultura y Deporte. En efecto, ya en el primer capítulo del *Libro blanco de la profesión docente y su entorno escolar*, de José Antonio Marina, Carmen Pellicer y Jesús Manso (2015), surgen diversos temas relacionados con ello, entre los cuales se destaca la importancia de la profesionalización docente no como una mera vocación, sino como una actividad cuyo desempeño exige una formación específica. Para ser buen docente el componente vocacional es importante, pero no garantiza un buen ejercicio de la docencia. Para ello, se requieren conocimientos y competencias didácticas específicas, adquiridos de manera previa, pero también una disposición a estar en continua formación y reciclaje.

Uno de los obstáculos con los que a menudo se encuentra el desarrollo pleno de las competencias docentes es la baja motivación en la que fácilmente puede caer el profesorado, acrecentada por la falta de reconocimiento social que envuelve a esta profesión. Es labor de todos, y especialmente de la Administración, de los medios y de quienes nos dedicamos a ella, colaborar en el cambio necesario que debe producirse en el imaginario colectivo sobre la profesión docente, aprovechando cualquier momento para concienciar acerca de la gran trascendencia de la educación para cualquier sociedad.

Es necesario, además, promover una cultura docente que trascienda la labor ejercida en el contexto de las aulas: un buen profesor se implica en el centro en el que trabaja, no se preocupa exclusivamente de sus horas de clase, sino que prepara y asiste a reuniones diversas, busca momentos de coordinación con el resto de profesorado, aborda con entusiasmo proyectos del centro o del departamento, etc.

Algunas competencias docentes del profesorado de lenguas

El lenguaje verbal es compartido por la comunidad educativa entera tanto para la comunicación como para la transmisión de contenidos y desarrollo de aprendizajes (función epistémica) (Durán, López, Sánchez-Enciso y Sediles, 2009). Aunque el desarrollo de la competencia comunicativa debe ser transversal, el profesorado de Lengua Castellana y Literatura debe liderar las actuaciones que en este sentido se tomen para la mejora de las competencias en español, preferiblemente en coordinación con las otras lenguas de enseñanza en un enfoque integrado de lenguas. En este sentido, una línea de actuación recomendable es la de hacer servir el lenguaje, de manera explícita, en función del aprendizaje en todas las asignaturas, no solo la escritura, sino también la conversación, como forma de «guiar la construcción del conocimiento, la forma de enseñar y aprender en el aula y la forma de acceder por parte de los estudiantes a comunidades intelectuales de discurso que, para ellos, son nuevas» (Mercer, 1997, p. 132). Esto implica la creencia de que el conocimiento se logra a través de la cooperación, la continuidad y la cooperación entre personas (Dereck y Mercer, 1999). Desde ese punto de vista, no resulta incompatible con la experiencia de Don Finkel acerca de la enseñanza «con la boca cerrada» (2000), dado que el fondo es el mismo: «predicar» menos y propiciar, con las dinámicas que se propongan, una «experiencia intelectual» que provoque una reflexión promotora del aprendizaje.

No todo el material educativo que se propone en los centros está orientado a desarrollar competencias, por lo que ser capaz de hacer un análisis del libro de texto como herramienta didáctica sería otra de las competencias docentes que se espera de un buen profesor o profesora.

Además, el profesorado de Lengua Castellana y Literatura debe ser modelo de referencia para cada estudiante en el uso de la lengua. Deberá cuidar la corrección de todo material o mensaje escrito que emita, así como la adecuación a la situación educativa de sus interacciones y emisiones orales.

También se espera, en el ámbito de la lectura, que el profesorado sea ejemplo de hábito lector, cuanto más si imparte clase de literatura. Cualquier docente de Lengua Castellana y Literatura, además de experimentar verdadero placer al leer —o de intentar reconciliarse con este aspecto si no lo tiene adquirido—, debería ser capaz de transmitir esa pasión por la lectura literaria.

Durán, López, Sánchez-Enciso y Sediles (2009) sintetizan en cuatro ámbitos las competencias del profesorado de Lengua Castellana y Literatura, y que implican ser competente para que el alumnado desarrolle su expresión oral, su comprensión lectora, su capacidad de expresarse por escrito y su capacidad de reflexionar sobre la lengua.

Según estos autores (2009, pp. 71-82), para que cada estudiante mejore su expresión oral, su profesor o profesora debe ser capaz de conocer mejor las características de la lengua oral, adquirir destrezas y estrategias para trabajar la lengua oral y cambiar creencias y actitudes sobre la interacción en el aula.

Para el desarrollo de la comprensión lectora, entre otros aspectos que nombran Durán, López, Sánchez-Enciso y Sediles (2009, pp. 92-96), los docentes deben ser capaces de las siguientes empresas:

- ✧ Activar los conocimientos previos del alumnado.
- ✧ Comprender con profundidad el texto propuesto y organizar la información.
- ✧ Articular las ideas principales mediante esquemas o gráficos.
- ✧ Secuenciar la actividad de lectura.
- ✧ Lograr discusiones motivadoras sobre el contenido de lo que se lee.
- ✧ *Modelizar* la práctica lectora mediante la dramatización.
- ✧ Promover la interiorización de estrategias lectoras.
- ✧ Facilitar la interacción del alumnado en el proceso de interpretación de un texto.
- ✧ Utilizar la prolepsis, es decir, el esfuerzo de reflexión partiendo de lo que se sabe para avanzar en el aprendizaje.
- ✧ Fomentar la autoevaluación individual y colectiva.
- ✧ Ser capaz de facilitar la transferencia de los aprendizajes, es decir, la aplicación de estrategias lectoras en otros contextos.
- ✧ Fomentar la creatividad y el desarrollo del punto de vista personal ante los textos por parte de cada estudiante.

Respecto a la capacidad de expresarse por escrito, el que un profesor o profesora sea competente en la didáctica de este aspecto implica, para los autores citados (2009, pp. 119-120) ser capaz de:

- ✧ Crear necesidades y contextos comunicativos reales.
- ✧ Escoger modelos adecuados y ofrecerlos al aprendiz.
- ✧ Ayudar a explicitar los conocimientos previos y las necesidades o retos.
- ✧ Dar pautas para la planificación.
- ✧ Colaborar ajustadamente en la búsqueda de información.
- ✧ Resolver dudas de contenido o de forma, a lo que podría añadirse saber problematizar aspectos que no se han planteado.
- ✧ Dinamizar grupos de escritura colaborativa.
- ✧ Realizar labores de revisión constructiva y evaluación formativa.

Finalmente, las competencias del profesorado para propiciar aprendizajes metalingüísticos pasan por centrarse en el uso partiendo de los conocimientos previos y conseguir que los estudiantes manipulen las expresiones lingüísticas y reflexionen sobre sus cambios y estructuras (Milian y Camps, 2006).

Otra de las competencias que debe poseer y desarrollar todo docente de Educación Secundaria es la llamada **competencia integradora** (Garrido, Marchena, Fernández y López, 2001). Esta viene favorecida por algunas variables, como las características del docente (estabilidad laboral, edad, formación recibida), del centro (organización, relación con la dirección, entorno) y del alumnado (necesidades y problemáticas, número de estudiantes...). Sin embargo, a pesar de lo hostil del contexto, todo profesor o profesora debería trabajar por aumentar su capacidad de integrar la diversidad del alumnado en su acción docente. Así pues, algunas de los rasgos, o subcompetencias, en los que se debería incidir para el desarrollo de la competencia integradora serían los siguientes (Garrido, Marchena, Fernández y López, 2001, pp. 34-35):

✧ Visión de la heterogeneidad humana como factor de enriquecimiento colectivo.

✧ Aceptación de la diversidad y de la discapacidad.

✧ Conocimiento emocional propio y ajeno.

✧ Interpretación y aceptación de los sentimientos de los demás.

✧ Consideración del respeto de los derechos ajenos como cuestión propia, es decir, procurar una implicación personal ante cualquier discriminación.

✧ Toma de conciencia de la propia función educadora de individuos en formación, incluyendo aspectos sociales y humanos, no solo académicos y cognitivos.

✧ Vivencia de su profesión como un encargo «social».

✧ Capacidad de trabajo en equipo (como miembro de un claustro) y de liderar metodologías de trabajo en equipo (dirigidas a grupos de estudiantes).

✧ Capacidad de reflexión sobre la propia práctica docente y sobre la causa de los elementos que la obstaculizan.

✧ Ser capaz de realizar adaptaciones curriculares apropiadas a la realidad de cada estudiante.

Las funciones del profesorado de Lengua Castellana y Literatura en Secundaria

Ernesto Martín Peris (1998) jerarquiza las funciones del profesorado de lenguas. Aunque él se refiere principalmente al aprendizaje de idiomas extranjeros, hay algunos conceptos que son comunes al profesorado de lenguas maternas. Así, aparte de velar por el desarrollo de la competencia comunicativa general de sus estudiantes, todo profesor o profesora de lenguas debería cumplir estas funciones:

- ✧ Determinar el nivel de competencia lingüística de partida de cada estudiante.
- ✧ Establecer condiciones óptimas para el aprendizaje de la lengua que imparte, no solo en el aula, sino a nivel de centro.
- ✧ Cuidar la motivación del alumnado: conseguir que mejorar su competencia comunicativa sea un reto por el que les valga la pena esforzarse.
- ✧ Trabajar las actitudes lingüísticas, de manera que se desarrollen actitudes positivas que puedan combatir posibles prejuicios existentes, heredados de las familias o de otros contextos sociales.
- ✧ Prestar siempre atención tanto al contenido como a la forma de las producciones de los estudiantes.
- ✧ Detectar las necesidades concretas de cada estudiante y establecer objetivos y rutas realistas que pueda seguir al margen de la materia, como ayuda pedagógica que va a redundar en una mejora de la comprensión y rendimiento en el resto de materias.

A la hora de presentar las tareas, el profesor o profesora de Lengua Castellana y Literatura debería tener muy presente cuál es su papel como docente de Secundaria. Según Natacha Palomo (1997), se debe comunicar la información de diferentes maneras, para atender la diversidad del alumnado: aquellos que codifican rápidamente la información (visualizan el objetivo de inmediato, «lo ven claro»), aquellos que necesitan «oír» una explicación («les suena algo») y aquellos que necesitan «digerirlo», es decir, codifican mediante acciones o manipulaciones. Por tanto, es papel del profesor o profesora garantizar los canales visual, auditivo y kinésico, como modo eficaz e integral de prever la recepción de los diferentes destinatarios (Watzlawick, 1994).

Para despertar la implicación de todos en la tarea, Palomo (1997) aconseja, además de hacer explícitos los objetivos y la relevancia de las tareas, presentarlas de manera que se procure la creación de un conflicto cognitivo: «En lugar de presentar la tarea con frases asertivas, utilizar preguntas que puedan provocar respuestas múltiples o abiertas; de modo que se perciba un problema con más de un posible camino de resolución» (p. 106).

Como demuestra la sicología cognitiva, resulta fundamental conectar con los conocimientos previos del alumnado para anclar adecuadamente el nuevo aprendizaje (Coll *et al.*, 1993), por lo que será papel del docente «acercarse al lenguaje» de adolescente:

> Acercarse a su lenguaje, no quiere decir, naturalmente, utilizar su registro lingüístico en cualquier situación, sino componer metáforas, asociaciones y

analogías por él reconocibles, que proporcionen explicaciones nuevas pero integrables en sus conocimientos. (Palomo, 1997, p. 107)

Respecto al papel del profesorado en la organización de actividades, es evidente que es competencia docente saber qué tipo de metodología y agrupamiento puede resultar más conveniente para cada actividad, y a la inversa: si se considera adecuado *per se* una dinámica de trabajo por los beneficios motivacionales, relacionales y sociales que comporta, habremos de saber seleccionar los contenidos y orientar adecuadamente la tarea. En el caso de las organizaciones grupales, además habremos de saber que, bien enfocadas, pueden potenciar el rendimiento y el desarrollo cognitivo (Alonso Tapia, 1991; Camps, 1994). Para ello, el profesor o profesora debe ser consciente de su papel de guía, estableciendo pautas para la organización de los grupos y siendo capaz de reconocer las fases del modelo de evolución del grupo-clase, como las que identifica Palomo (1997):

✧ Fase inicial: al constituirse el grupo el profesorado debe dejar claro su papel de liderazgo de manera que esto acelere la cohesión del grupo y la fijación de relaciones de autoridad: si no se asume, se distribuye necesariamente entre el alumnado, situación poco deseable, según Palomo (1997). Se trata aún de una fase de dependencia de la autoridad, donde se deben proponer actividades individuales o bien dirigidas al grupo-clase. Asimismo, deben definirse las metas colectivas (del grupo-clase, cuya razón de ser está relacionada con que esas metas solo tengan sentido así enfocadas).

✧ Fase intermedia: deben consensuarse progresivamente las normas que ordenen el trabajo en equipo y la distribución de roles y asignaciones. Es una fase de reconocimiento de la diversidad de estilos de aprendizaje, así como de las «especialidades» de cada miembro. El sentirse experto o experta en un tema facilita el interés de perfeccionamiento, que debe aprovecharse para incitarle a aprovechar los recursos y conocimiento sobre las materias en que sus compañeros y compañeras son especialistas. «Especializarse» en varias parcelas tiene ventajas que deben ser exploradas mediante actividades para parejas o tríadas cambiantes, metodología de agrupamiento que facilita la transferencia de habilidades, así como la flexibilización de roles (intercambio del papel docente-discente).

✧ Fase de consolidación: el grupo-clase identifica el trabajo como parte un proyecto a largo plazo: que todos los integrantes aprendan y que todos ayuden a otros a aprender, que se consiga un reconocimiento externo de grupo, etc. El profesorado mantiene su rol de guía y facilita que las actividades se apoyen en experiencias de autoevaluación o autovaloración; ello potencia la creatividad del grupo, la complementariedad entre roles y la sensación de que cada contribución es valiosa e insustituible.

El papel docente en Lengua Castellana y Literatura ante el fracaso escolar

Palomo (1997) comienza así su reflexión sobre el papel del profesor en cuanto a la actividad lingüística, y especialmente ante el riesgo de fracaso escolar:

> Crear situaciones reales de comunicación es, según parece aceptarse desde puntos de vista diferentes, el modo más eficaz para contribuir al desarrollo de las competencias comunicativas de los alumnos. Es reconocido también el doble carácter de la lengua como vehículo expresivo y como herramienta para aprender a pensar. Hablar y escribir son procesos complejos en los que podemos distinguir una función epistémica y una función comunicativa. Cierto es que no deben confundirse ambos procesos, de hecho, pueden realizarse muchas tareas lingüísticas que no permiten que hablar o escribir cumplan una función cognitiva, los ejemplos serían numerosos.
>
> Pero entonces, la tarea del profesor debe consistir en averiguar de qué modo la programación de los contenidos lingüísticos favorece la interrelación entre ambos procesos. Por ejemplo, explorando qué géneros discursivos resultan más apropiados para según qué objetivos, cuáles
>
> contribuyen a la expresión personal, o qué estrategias de composición pueden ser las idóneas para según qué producciones. No deberíamos olvidar que una clase es una situación real de comunicación en la que se realizan actividades con el fin de aprender. (p. 108)

Hay una pregunta que puede convertirse en un verdadero dilema para cualquier docente de Lengua Castellana y Literatura: «si las dificultades en el uso del lenguaje son una de las causas que inciden en el fracaso escolar, ¿debe el profesor de lengua renunciar a los contenidos de su programa en favor de la práctica de unas competencias que ya debieran estar adquiridas?». Palomo (1997, p. 109) recomienda reformular esta pregunta para convertir el dilema en una ocasión de reflexión y aprendizaje: «¿Cómo puede un profesor de lengua aprovechar la potencialidad de aquello que enseña, del efecto multiplicador del aprendizaje de la lengua?».

Con ello, se deja de considerar la lengua exclusivamente como objeto de estudio, sino como instrumento capaz de facilitar muchos otros procesos (Palomo, 1997):

- ✧ La comunicación y la integración social.
- ✧ La organización del trabajo.
- ✧ La capacidad cognitiva.
- ✧ La expresión de ideas y conceptos.
- ✧ La expresión de emociones, opiniones, puntos de vista.
- ✧ La imaginación y creación de mundos personales, etc.

Finalmente, para potenciar estos «usos del lenguaje», y basándonos en las de la propia Natacha Palomo (1997), podemos recomendar algunas pautas efectivas que, además, se caracterizan por ser lo suficientemente flexibles para responder a las necesidades de atender la diversidad del alumnado:

- ✧ Explicitar estrategias y fases de la composición: planificar, buscar ideas, revisar, imitar, confrontar modelos, etc.
- ✧ Provocar la observación de lo que sucede en el aula en términos de proceso lingüístico.
- ✧ Aplicar las observaciones de la interacción diaria en proyectos de escritura concretos.
- ✧ Dar preferencia a tipologías textuales y géneros discursivos que respondan a las necesidades formativas curriculares, pero también al momento formativo de cada estudiante en concreto, vinculando este tipo de decisiones a los intereses reales del alumnado para aumentar la motivación y el deseo de comunicar.
- ✧ Encontrar contextos reales y receptores físicos o potenciales que se interesen por las producciones que van a elaborarse. Cada docente de lengua debe ser consciente de su entidad receptora y por ello debe mantener una capacidad de escucha y lectura atenta de todo lo que producen sus estudiantes, ofreciendo el *feedback* necesario, oportuno y adecuado a las características de cada aprendiz.

Las funciones del profesorado de literatura

Varias son las realidades que en los centros escolares de Secundaria dificultan que la enseñanza de la literatura pueda ser abordada de manera satisfactoria. Mendoza (2002) establece las siguientes, que deberían dar paso a una reflexión sobre los contenidos y sobre la metodología de la educación literaria, cuya respuesta no puede estar desvinculada de la necesaria formación continua del profesorado:

- ✧ La orientación historicista y la consecuente secuenciación.
- ✧ El determinismo curricular.
- ✧ La amplitud de los programas que se han de impartir.
- ✧ La orientación didáctica de la materia hacia la teoría.
- ✧ La carencia de una metodología eficaz y adecuada.
- ✧ La desorientación del profesorado ante las opciones filológica-cultural, de cariz enciclopédico, y la didáctico-formativa.

A esto se unen otros problemas, como puede ser el predominio del eclecticismo como perspectiva docente, resultado de combinar las opciones personales de cada docente con algunas aportaciones de la crítica literaria e incluso la aplicación indiscriminada de ciertas metodologías que no siempre están orientadas a aumentar la competencia literaria de los estudiantes, lo que conduce a una falta de coherencia formativa que Mendoza (2002) atribuye a siete factores:

- ✧ El predominio del planteamiento historicista, que condiciona la programación de contenidos conceptuales, así como metodologías poco innovadoras.

◇ El uso del texto literario como pretexto, es decir, su parcial subordinación en ciertas actividades de aprendizaje lingüístico o como ejemplo de ciertos usos lingüísticos.

◇ El empleo extendido de un esquema de comentario de textos muy tipificado, que limita las posibilidades del análisis literario y del que suele partir la aproximación al hecho literario.

◇ Las escasas o mal planteadas actividades de formación lectora, que cabe distinguir de la llamada «animación a la lectura», y que no son suficientes para de la consolidación del hábito lector.

◇ El recurso a la interpretación justificada y «oficial» de la obra literaria que se está estudiando, que entorpece la aproximación discente hacia el disfrute de la literatura y la motivación hacia el desarrollo de su capacidad crítica: «con ello se presupone la dificultad críptica-hermenéutica que encierra el discurso literario» (Mendoza, 2002).

◇ Propuesta solo ocasional de actividades de producción, que no siempre posibilitan o fomentan la integración de saberes y estrategias propios de la recepción y de la expresión del discurso literario.

◇ Presencia condicionante de opiniones de críticas de autoridad en detrimento de actividades formativas en torno a la elaboración de una opinión personal que parta de la lectura directa de la obra literaria.

Ante esta situación, y como estrategia para afrontar los retos que escuelas e institutos afrontan en el siglo XXI, solo queda la innovación educativa (Gómez López y Fernández Campoy, 2020). En nuestra área, se requiere una renovación integral del enfoque, liderado por cada docente de literatura y difundido desde la formación inicial hasta los planes y programas de formación continua, que tenga como primer objetivo superar cuatro grandes dificultades. La primera es que la excesiva importancia documental de los manuales de historia de la literatura no debería contagiar la práctica docente en las aulas de Secundaria, dado que algunos de estos libros implican pautas de concepción historicista que no atienden la participación del lector o lectora en formación en el proceso de recepción de las obras. La segunda es que enseñar historia literaria o teoría de la literatura no debería confundirse con enseñar literatura, pues una cosa es memorizar nombres y reconocer recursos estilísticos o movimientos literarios, o incluso aprender valoraciones críticas de especialistas, y otra promover el desarrollo de la competencia literaria y la capacidad del alumnado de disfrutar y valorar la obra literaria por sí misma, por la imbricación entre fondo y forma y en su contexto. La tercera es que la necesidad puntual de aprender fechas, obras y evolución de rasgos y estilos literarios no debe sofocar las actividades de formación de lectores literarios competentes: integrar saberes, aplicar criterios de interpretación y valoración... Por último, la cuarta es que las prácticas de comentario de textos literarios deberían tener un sentido y una estructura que evitara la mecanización de la metodología, que se produce cuando se difunden esquemas rígidos de comentario, cuya aplicación no garantiza el desarrollo de verdaderas competencias literarias.

Así pues, las funciones del profesorado de literatura en el centro de Secundaria trascienden la mera transmisión de conceptos para apuntar a objetivos más trascendentes y útiles para el alumnado:

(i) Formar, estimular y animar a los lectores en formación

- ✧ Potenciar el hábito lector.
- ✧ Dinamizar la lectura.
- ✧ Fomentar la lectura extensiva y la aplicación de recursos.
- ✧ Animar a la creación literaria en general o específicamente a partir de talleres literarios, potenciando la vocación literaria de quienes hagan muestra de especial talento.
- ✧ En definitiva, sustituir la idea de «enseñar literatura» por una nueva concepción que implique «formar para apreciar la literatura» (Mendoza, 2002).

Mendoza (2002) sintetiza los rasgos de la función del docente respecto de la formación literaria en cuatro facetas: formadora, estimuladora ante los contenidos, animadora hacia la lectura y crítica literaria. Concretamente, el profesorado de literatura debe estimular el aprendizaje enfatizando la especificidad de la obra que se estudia, los efectos que motiva y los estímulos que justifican sus valores y su relevancia artística y cultural. Así se consigue motivar al alumnado, porque se posibilita una aproximación lúdica y estética al hecho literario sin dejar de lado el «conocimiento analítico de proyección académica». Se trata de equilibrar la interpretación crítica académica con las valoraciones que sus estudiantes comparten al conectar directamente con los textos literarios.

Y completa su propuesta con nueve funciones esenciales adicionales:

(ii) Concretar la propia concepción literaria y el enfoque didáctico

(iii) Mediar entre las funciones de la crítica y de quien lee

(iv) Priorizar la formación de la competencia literaria

(v) Organizar la actividad de formación sobre la participación del alumnado

(vi) Determinar el canon de formación literaria

(vii) Vincular los intereses formativos y personales entre las obras y el lector implícito

(viii) Ampliar el intertexto lector

(ix) Concreción y delimitación de los objetivos de formación literaria.

(x) Potenciación de una formación literaria orientada al disfrute de la obra literaria

En cuanto a la función mediadora, Arlandis (2021) hace hincapié en la especificidad de la lectura contemporánea, que es una experiencia multimodal que no puede ser desatendida por el profesorado, con la misión de convertir sus aulas en «espacios abiertos, conectados y dinámicos» (p. 63). Esto se recoge en el borrador del Real Decreto que establecerá las enseñanzas mínimas de Lengua Castellana y Literatura en la Educación Secundaria Obligatoria y el Bachillerato tras la aprobación de la LOMLOE (2020), al que ha tenido acceso Olga R. Sanmartín (2021): «saber leer hoy implica también navegar y buscar en la red, seleccionar la información fiable, elaborarla e integrarla en esquemas propios, etc.».

El plan de fomento de la lectura

Un plan lector es «un conjunto de estrategias de las que el profesorado se sirve para que el alumnado sea un lector competente, comprenda los conocimientos, investigue sobre ellos y le proporcione, como resultado, la capacidad de transmitir y comunicar lo que ha aprendido» (Cruz Gimeno, 2014, p. 38). Como dice Sergio Arlandis en *El desafío de la lectura* (2021), su importancia está relacionada con una realidad indiscutible, y es que resulta fundamental que a lo largo de la escolarización obligatoria se consiga el desarrollo del hábito lector del alumnado. En este sentido, la instrucción es importante para el desarrollo de las habilidades en lectura, pero necesita de la práctica recurrente para su consolidación (Cerrillo y García Padrino, 1996), y por ello queda previsto en las leyes educativas desde la LOE (2006).

Arlandis (2021) destaca cinco grandes objetivos de la LOMCE (2013) que deben ser articulados por medio del diseño de planes de fomento de la lectura. Aunque advierte que pronto podrían quedar desactualizados, dada la dinámica legislativa de este país en materia de Educación, lo cierto es que la reciente aprobación de la LOMLOE (2020) no afecta en absoluto a las directrices e importancia de los planes lectores, que siguen sin apenas cambios desde la LOE (2006):

- ✧ Conocer los hábitos de lectura para planificar adecuadamente las políticas públicas en este ámbito.
- ✧ Concienciar a la sociedad sobre la importancia de la lectura.
- ✧ Impulsar el papel de las bibliotecas públicas y escolares.
- ✧ Promover actividades de promoción de la lectura en ámbitos diversos.
- ✧ Incluir la atención de personas con dificultades mediante ayudas específicas a colectivos de inmigrantes discapacitados población reclusa tercera edad etcétera.

Todas las escuelas e institutos deben incluir en su proyecto educativo de centro (PEC) la descripción de su plan de fomento de la lectura, con sus objetivos concretos e indicadores de su consecución en plazos bienales. El diseño de un buen plan lector por parte del centro educativo puede contribuir a minimizar los obstáculos con los que, frecuentemente, se topa este proceso, como son el paso de la lectura como actividad lúdica en Primaria a la saturación analítica y formal con que se puede llegar a asociar la lectura en Secundaria. La estrategia debe contemplar el papel ineludible de las bibliotecas escolares, que deben ofrecer un catálogo atractivo, pero también espacios confortables y horarios amplios para posibilitar el disfrute del tiempo de lectura (Coronas, 2000). Como dice Santiago Sevilla (2018), la literatura es susceptible de constituir una fuente de motivación inagotable para la lectura si la fomentamos como actividad lúdica y placentera, no solo como actividad explícita de aprendizaje —que, por otro lado, no ha de obviarse—.

En efecto, un plan de fomento de la lectura es un programa dónde se prevén actividades y estrategias que buscan mejorar la comprensión lectora, pero también acercar la lectura y hacerla interesante (Coronas, 2000; López Molina y López Muyor, 2003). Subyace en los planes de fomento lector la concepción de que la lectura es vehicular para el aprendizaje de las diferentes áreas, algo sustancial en la Educación Primaria, que explica el tipo de organización que exige en esta etapa (Cruz Gimeno, 2014). En el caso de la ESO, el *Real Decreto 1105/2014, de 26 de diciembre, por el que se establece el currículo básico de la Educación Secundaria Obligatoria y del Bachillerato*, recoge en su artículo 15.2: «A fin de promover el hábito de la lectura, se dedicará un tiempo a la misma en la práctica docente de todas las materias», por lo que el profesorado de lenguas debe trabajar, una vez más y por imperativo legal, en coordinación con el resto de docentes. Incluso entre los objetivos del Bachillerato encontramos el siguiente: «Afianzar los hábitos de lectura, estudio y disciplina, como condiciones necesarias para el eficaz aprovechamiento del aprendizaje, y como medio de desarrollo personal» (artículo 25.d). En todo caso, como dice Arlandis (2021):

> la redacción de un plan de fomento lector de centro facilita la puesta en práctica de una idea y un objetivo compartidos por la comunidad educativa en su conjunto, porque en cada aula y en cada asignatura se pueden llevar a cabo actividades diversas, pero sin duda estás serán más efectivas si están enmarcadas dentro de un programa colectivo, coordinado y coherente, que implique a todos los niveles del centro educativo. (pp. 139-140)

Entre los objetivos de los planes de fomento lector, los centros educativos deben considerar, según Arlandis (2021), los siguientes:

> 1. Incidir de manera especial en la promoción de la lectura literaria y en el conocimiento de los escritores y escritoras nacionales e internacionales.

> 2. Hacer del fomento de la lectura un recurso útil y motivador para celebrar en el centro las efemérides anuales que se consideran de interés educativo.

> 3. Hacer presente la lectura en todas las actividades didácticas hechas para trabajar los temas transversales y las conmemoraciones periódicas que tienen lugar en todos los cursos escolares: el Día de la Paz, el Día de la Mujer trabajadora, etc. (p. 141)

Para Arlandis (2021), supone, en definitiva, un esfuerzo de sistematización y coordinación que tendrá como recompensa el fortalecimiento de la competencia lectora del alumnado y, con ella, las garantías que una buena comprensión lectora aporta para el éxito académico.

Finalmente, tanto Cruz Gimeno (2014) como Arlandis (2021) insisten en no confundir el plan lector con la animación a la lectura, ni mucho menos con diversas motivaciones para la adquisición de libros. Esto último, más cercano a la publicidad, tiene fines comerciales e incide prioritariamente en la capacidad de entretenimiento del producto, mientras que un verdadero plan de fomento de la lectura «es un documento vivo» (Arlandis, 2021, p. 142).

Se trata, pues, también en Secundaria, de enseñar a leer, enseñar a disfrutar con la lectura literaria y conseguir que el alumnado se convierta en lector habitual y cada vez más competente.

La función tutorial

Cualquier docente, además de ser competente en el qué y en el cómo al impartir su materia durante las clases presenciales —o virtuales—, tiene la obligación de atender la formación de sus estudiantes de manera personalizada, tanto individual como colectivamente, ejerciendo una función tutorial que no le puede resultar eludible y que, lejos de ser algo anecdótico, resulta un factor de calidad añadida en el desarrollo integral del alumnado. Especialmente si ejerce la función de tutoría del grupo, debe atender aspectos afectivos y socioculturales, además de cognitivos, siempre dependiendo del contexto (Álvarez, 2013; Flores, Del Arco y Silva, 2018).

Cabe señalar que tanto mostrarse ante el gran grupo como abordar cuestiones específicas de manera individual requieren ciertas habilidades sociales que faciliten la escucha atenta y la capacidad de motivar y resolver eventuales conflictos, por ejemplo, aptitudes que se potencian con el interés de su ejercicio consciente (Imbernón, 1994; 2006; 2008).

Buenas prácticas

El papel del juego en la motivación

En todo proceso de aprendizaje siempre llama más la atención y el deseo de participar en la dinámica aquello que consigue despertar emociones y sentimientos positivos. Para entender el papel que juega la motivación en la predisposición para aprender y en el rendimiento académico, puede resultar esclarecedora una somera revisión de la progresión en el entendimiento del proceso de enseñanza/aprendizaje (Coll y Solé, 2008). En el paradigma tradicional, la clave del éxito educativo del aula estaba situada en el profesorado: aquello que importaba eran sus características, su comportamiento, su metodología o su estilo de enseñanza; con el constructivismo cognitivo, el *quid* se sitúa en los procesos sicológicos del alumnado; finalmente, el enfoque sistémico introduce el concepto de *triángulo de interacción educativa,* en el que, junto al contexto, el éxito del proceso recae en los tres vértices que articulan la educación: el contenido de la materia, el profesor o profesora y sus estudiantes.

Podría inferirse que, si la motivación refleja la curiosidad innata de las personas, no harían falta tantas estrategias para incrementarla, bastaría con dejar que la investigación del alumno o alumna en cada materia siguiera su curso natural. Sin embargo, el estudio de los procesos motivacionales separa las motivaciones primarias de las aprendidas o sociales. Entre estas últimas destacan tres tipos, por su frecuencia e importancia: la motivación de *logro, poder* y *afiliación.* En Saneleuterio y Alonso (2016) se conjugaron los tres resortes de la siguiente manera: para conectar con el afán de logro propio del área volitiva o conativa se tuvo en cuenta el carácter lúdico-competitivo; la ambición de poder se unió al deseo de *feedback* o búsqueda de mejora para el liderazgo, la cual se puede completar con otra idea que desarrollaremos más adelante: la sensación de control en las situaciones críticas mediante dos estrategias que se exponen bajo el rótulo «Dimensión de autoconfianza»; por último, la coevaluación respondería a la necesidad de afiliación, junto con lo que aquí llamamos «rutinas de inicio y cierre», de carácter distendido.

Los resultados publicados en Saneleuterio y Alonso (2016) confirmaron tres ideas relativas a la motivación: la coevaluación remite al sentido de pertenencia o afiliación; el juego, al afán de logro; y el deseo de *feedback,* al empoderamiento o mejora personal. Además, el análisis de los gráficos incluidos en el citado estudio demuestra que los tres resortes motivacionales colaboran en la mejora de la expresión escrita: el alumnado los valora positivamente de manera explícita, percibe que su interés crece a lo largo del curso y, efectivamente, al medir una competencia específica trabajada, se observa una diferencia significativa respecto del grupo control.

Los aportes neurosicológicos de la motivación coinciden en que son varios los neurotransmisores implicados en el proceso motivacional (Martín Lobo, 2004). Cuando se trata de una motivación cognitiva suave suelen verse niveles moderados de norepinefrina o dopamina, mientras que cuando existe una motivación más intensa y activa se pueden incrementar los niveles del péptido vasopresina o de la adrenalina. Para el primer supuesto, la motivación cognitiva suave se contempla creando un ambiente de comunidad, que disminuya la percepción de amenaza; el recurso didáctico escogido se puede ligar con los procedimientos de evaluación formativa; por ejemplo, con la coevaluación. Respecto a la motivación como actividad más intensa, se puede reflejar en el carácter de juego o competición de propuestas educativas inspiradas por lo que se conoce como «gamificación»: la parte lúdica estaría contribuyendo a crear un ambiente distendido, si bien unas actividades pueden resultar competitivas y otras más bien cooperativas.

Un ejemplo de gamificación lo encontramos con los llamados *escape room* o *break out* educativos. Estos tienen características que los singularizan de los comerciales o meramente lúdicos, como el ir dirigidos a un público muy concreto y tener como objetivo el aprendizaje o la consolidación de una serie de conceptos y competencias. Además, han de poder ser adaptados a cualquier espacio y cuentan con un presupuesto mucho más limitado, a diferencia de las salas de escape específicamente diseñadas para el juego. Sin embargo, comparten con los anteriores algunos de sus rasgos más atractivos: ofrecen un espacio interesante, retador y creativo para los grupos participantes, les permite «vivencian» una experiencia de aprendizaje cooperativo, a través de la búsqueda de las soluciones combinando los conocimientos de cada miembro.

El *escape room* educativo como metodología didáctica ha mostrado ser una innovación de éxito (Rosado, 2019). Aunque lo ha aplicado en numerosos ámbitos curriculares, Fernando Boillos (2020) lo ha utilizado también como fomento de la lectura, en concreto con la saga de Harry Potter, temática que cuenta con salas profesionales donde también podemos llevar a nuestros alumnos en una salida cultural o, mejor dicho, lúdico-educativa. La intervención didáctica de Boillos con esta metodología consigue que el alumnado no solo lea más y mejor a J. K. Rowling, sino que se interese en mayor medida por todos los aspectos (históricos, geográficos, sociales...) que rodean la lectura propuesta. El análisis de su experiencia le lleva a concluir que este proyecto educativo llevado a cabo en 1.º ESO «sirve como ejemplo de práctica para el fomento de la lectura y que se desarrolló con éxito con una evaluación muy positiva por parte de alumnos, profesores y familias del centro» (Boillos, 2020).

Si analizamos el factor de novedad o sorpresa que se requiere en el receptor para el verdadero éxito de un *escape room* educativo, además del tiempo de preparación y el esfuerzo personal y económico que exige en el docente, es lógico que aceptemos que una metodología como esta no pueda ser establecida como una rutina de aprendizaje. No obstante, sí hay otros diseños lúdicos que pueden emplearse como rutina, y que pueden triunfar precisamente mediante la repetición —siempre que no lo alarguemos demasiado y seamos capaces de cambiar de rutinas si detectamos que la motivación decae—.

Así pues, dentro de las múltiples rutinas de inicio o cierre de las sesiones que pueden concebirse —la palabra del día, el chiste de la semana, la autora del mes, la cita de hoy...—, algunas pueden estar basadas en la gamificación, uniendo por tanto dos resortes de la motivación: el afán de logro y el sentimiento de afiliación o pertenencia, al propiciar que cada estudiante se reconozca como miembro de «este grupo» que tiene «estas rutinas» compartidas. Otras iniciativas se lanzan de manera paralela a las sesiones de clase, como el proyecto «cazafaltas» de Pareja Olcina (2021), que se realiza de manera voluntaria mediante publicaciones y etiquetados en las redes sociales.

Una experiencia concreta de gamificación como cierre de las sesiones de lengua es el juego llamado Cum Laude (Saneleuterio, 2020), que se basa en la lectura y la revisión textual a modo de Trivial, que articula sus objetivos en dos ejes: la implicación del alumnado en la preocupación por la forma en comunicación lingüística y la combinación de estrategias competitivas con cooperativas —las rondas presenciales no pueden ser individuales, sino que se juega en parejas o tríos de formación instantánea, cuyos miembros han de de llegar a un acuerdo antes de lanzar cualquier respuesta—. El enfoque pretende, a través de la conexión con la motivación proporcionada por el aspecto lúdico de la actividad, multiplicar el desarrollo de la competencia en comunicación lingüística —especialmente escrita, pero no exclusivamente— y la competencia de investigar en pequeños equipos, desarrollando estrategias de consulta rápida de dudas lingüísticas a través de dispositivos electrónicos.

Se trata de un material docente de soporte sencillo y contenido divertido o visualmente agradable o sugerente. Todo ello se supedita al lema de buscar la excelencia expresiva indagando en pesquisas lingüísticas, objetivo para el cual los jugadores deben adoptar el rol de *detectives de la lengua*. De esta manera se pretende que cada participante se implique y colabore con su equipo aplicando su lupa analítica a los enunciados propuestos para declararlos *cum laude* o diagnosticar sus afecciones expresivas.

La innovación consiste, principalmente, en la exploración del aspecto lúdico y participativo del estudio de la norma lingüística a través del análisis de muestras reales. Cada ejemplo o extracto constituye una ronda, que se proyecta en una diapositiva, y cuyo premio puede ser un positivo para el equipo acertante. Las partidas se juegan los días en que la sesión se ha desarrollado de manera fluida, pero son los alumnos y alumnas quienes deben decidir si quieren jugar una partida o dar la clase por terminada.

Con el diseño y la puesta en práctica del juego se consigue atender también las otras dos dimensiones de la motivación, gracias al fomento del sentimiento de pertenencia o afiliación y de poder o inteligencia que genera la actividad, que a su vez logra tener efecto en las tres fases temporales de la motivación: impulso, persistencia y finalidad.

Lectura y escritura en Twitter

Es un hecho que la experiencia lectora actual supone nuevas formas de leer, de modo que la experiencia literaria no puede explicarse sin las tecnologías de la información y la comunicación (TIC) (Lluch, 2010; Escandell Montiel, 2014a;

Corral, 2015). Ello debería conllevar una adecuación de los modos educativos en los que la literatura es acercada y estudiada en la educación, incluyendo la alfabetización digital entre sus objetivos (Escandell Montiel, 2014a). Conscientes del reto, muchos estudios han propuesto y medido los efectos educativos de la web 2.0, con el uso de blogs (Sánchez, Lluch y Del Río, 2013) o de algunas redes sociales, como Twitter, que bien enfocada no solo ayuda a desarrollar la competencia digital, sino que además ha demostrado influir en la mejora de las calificaciones (Junco, Heibergert y Loken, 2011) al promover la implicación y aportar diversión a las actividades de aprendizaje.

En este contexto, una propuesta para lo puede llamarse «coeducación literaria» podría ser la descrita en Saneleuterio (2018), la cual aborda la discusión sobre lo que reflejan e implican ciertos contenidos literarios relacionados con roles sociales y sexuales atípicos, con el propósito de conducir al alumnado de Secundaria hacia la mejora de sus competencias críticas, analíticas y expresivas, al tiempo que se enriquece su capacidad de interpretación y valoración de las concepciones, deseos y funciones sexuales presentes en la sociedad y reflejados en la literatura.

La propuesta recoge las recomendaciones de Noguera (2015) para aprovechar otra sinergia, en este caso metodológica: la que se produce en la combinación de la parte presencial de los juegos de rol con las posibilidades de la comunicación virtual a través de Twitter. Así pues, el diseño atiende la comprensión lectora, la interpretación literaria y la expresión escrita, concretamente de uno de los géneros discursivos más actuales en contextos tecnológicos, como es el tuit, si bien actualmente cabría adaptar la propuesta y seleccionar otra red social que resulte más popular entre adolescentes. Los aspectos citados, consecuentemente, suponen objetivos pedagógicos de dicho diseño, que se complementan con otro: alcanzar la sinergia de la educación lingüística y sexual cuando se articulan con la literatura, colaborando a educar en igualdad.

La estructura de la secuencia debe contener la composición de un texto final y una serie de talleres que han de realizarse como preparación, entrenamiento y aprendizaje. Los objetivos los plantea el docente, pero tanto el «producto» final como las sesiones de aprendizaje que preparan a cada estudiante para abordarlo con éxito deben ser decididas por el alumnado —con la ayuda docente, por supuesto—. Un buen puerto podría ser una producción escrita cooperativa concretada en una conversación virtual a través de Twitter, vehiculizada a través de un juego de rol. Cada grupo asumirá el papel de uno de los personajes, encargándose de redactar, consensuar y publicar conjuntamente cada intervención.

Por otro lado, sería necesario abordar el tuit como género discursivo específico y con unas normas muy estrictas (Escandell Montiel, 2014a); la más determinante es el límite de caracteres de cada mensaje, que los estudiantes tendrán que aprender a manejar sin perjuicio de traicionar sus intenciones. A no ser que el grupo ya haya tratado este tema en otra ocasión, uno de los talleres que se planifique deberá estar orientado a la formación y práctica en esta red social, incluida la «tuiteratura» (Escandell Montiel, 2014b). Deberá llevarse a cabo en un aula de informática o al menos garantizando por grupo un dispositivo móvil con conexión a Internet. Para esta primera práctica con la red social Twitter, los perfiles que se creen —nombre, imagen, información— deben ser representativos del rol asumido, pero no deben desvelarlo; este deberá ser adivinado en sesiones subsiguientes por el resto de grupos a partir de los comentarios que se realicen, que pueden ser provocados por preguntas de los compañeros, también desde Twitter. Pistas, preguntas y respuestas conforman una experiencia a medias entre las «escrituras nómadas» y el diálogo de aula, en todo caso marcada por el uso de medios y soportes tecnológicos (Martos y Martos, 2016, p. 36). Todo ello explica que este primer taller de la secuencia reciba el nombre de «Quién es quién».

Cabe señalar que, para esta actividad introductoria, el texto literario escogido debería ser breve, con el objetivo de que pueda ser abordada en la misma sesión su lectura y el juego de adivinanzas con el que practicar el género del tuit. Una propuesta sería el relato «Cabecita blanca», recogido en *Álbum de familia* (1971), de la mexicana Rosario Castellanos, el cual incluye varias mujeres interesantes, cuyos roles deberían repartirse, como Eugenia o Lupe, ambas solteras—dato que nos servirá de hilo conductor con la siguiente lectura propuesta—; pero también su madre, la vieja Justina, con su «cabecita blanca».

La última sesión de esta parte debe dedicarse a un doble debate; en primer lugar, lingüístico, para comentar entre grupos los aciertos y desaciertos expresivos de cada grupo, tanto en lo relativo al sentido (posibles confusiones, ambigüedades o imprecisiones) como en cuanto a la corrección ortográfica y gramatical de los tuits. En segundo lugar, respecto de las mentalidades atribuidas a los personajes. Y es que a pesar del gran abanico que abre la obra de Castellanos, si nos centramos en la figura de la tía soltera, podemos incitar a al alumnado a la reflexión explícita sobre la intención autorial que se desprende de muchas afirmaciones teñidas de ironía, como la siguiente: «Pocas tenían la suerte de la señora Justina que se encontró un hombre bueno y responsable». El buen papel docente será, pues, el que enseñe a los lectores y lectoras en formación a sospechar de la literalidad de los textos narrativos, enjuiciándolos y descubriendo en ellos que quizás esconden giros sarcásticos que pueden cumplir funciones diversas. Además de la detección de ingenuidades y dobles sentidos, la reflexión puede ir encaminada a sopesar la fuerza crítica de las denuncias —¿veladas?— de la autora a un orden social establecido.

La otra lectura literaria que puede completar la propuesta didáctica es un clásico ligado, de manera muy directa, al tema de la tía soltera: *La tía Tula*

(1921). No es de las novelas más leídas de Miguel de Unamuno, pero, dada la presencia que este autor tiene en los temarios de literatura, no parece difícil introducirla como lectura programada para un curso de estas características, especialmente si pensamos en adolescentes. Para la siguiente sesión, los estudiantes deberían traer al menos una parte de la novela leída, de manera que el reparto de personajes y la creación de los perfiles de Twitter —esta vez con el nombre del personaje elegido— se basen en una experiencia previa de lectura, que preparará la experiencia de lectura performativa de la que hablan Martos y Martos (2016).

Los mensajes que se publiquen en Twitter y las conversaciones que de ellos se deriven tendrían como tópico la vivencia de la afectividad y la sexualidad de cada personaje, así como los estereotipos sociales en relación con estas concepciones y vivencias del sexo. El profesorado que lleve la sesión debe garantizar que se creen hilos de discusión, por ejemplo, sobre la idea de pureza de cada personaje, encauzando las conversaciones o haciendo alguna pregunta conveniente desde su rol docente. En este punto, debe procurarse el comentario sobre la significación literaria de uno de los pasajes que representa un punto de inflexión en la novela: el vómito sobre Gertrudis de su sobrina Manolita, símbolo de atentado contra su pureza. La consiguiente reflexión de la protagonista —«no cabe vivir sin mancharse»— puede interpretarse en relación con muchos ámbitos, en los que cada discente puede ejercitar su pensamiento crítico y poner al crisol sus miedos y estereotipos. Pero la conclusión de Tula al respecto establece una diferenciación básica para entender al personaje: por un lado, las «manchas de la cotidianidad», derivadas de la maternidad y el cuidado de los menores; por otro, la mácula sexual, relacionada con la convivencia matrimonial —reflejo para ella de la sumisión entre los sexos en todos los sentidos, y que no está dispuesta a asumir—. Por eso se explica que ella quiera ser madre sin ser esposa, lo cual no deja de ser una afrenta a las convenciones sociales del momento en que se contextualiza la obra.

Respecto de las dinámicas comunicativas en cada juego de rol descrito para esta propuesta didáctica, cabe señalar que, en el primero, el objetivo de los grupos es adivinar qué personaje se esconde detrás de cada perfil. Al basarse en textos literarios más breves —cuentos—, el peso recae principalmente en la habituación al vehículo de comunicación (Twitter, sus reglas y convenciones genéricas) y a la actividad (interpretación de roles por escrito, mediante mensajes breves y enfocando el contenido a los tópicos descritos). Por ello, los intercambios comunicativos se producirán por iniciativa de pregunta, apelando al personaje incógnita en segunda persona mediante el sistema de Twitter (@Nombre). Así pues, cada grupo tendrá un doble papel de respuesta sobre su propio perfil y de pregunta sobre la identidad del resto.

Por el contrario, el reparto de roles relacionado con la novela es descubierto. Ahora el juego consiste en consensuar y sintetizar en grupo unas ideas que expresen, en consonancia con el rol, la herencia y perspectivas de su personaje. Dependiendo del curso, puede resultar conveniente pautar el número de enunciados e incluso su estructura.

La interacción se consigue porque el resto de grupos comenta, desde la perspectiva de su papel, las actuaciones o confesiones de los demás. Es decir, cada personaje habla por sí mismo en primera persona, y debe juzgar las expresiones del resto, velando por que se ajusten a su rol, y asintiendo o disintiendo según su perfil. Estas manifestaciones de conformidad o disconformidad son las más interesantes, porque es donde se manifiesta conjuntamente que se ha comprendido tanto la esencia del personaje emisor como la del enunciatario o referente.

Por último, se utilizan también las estructuras en segunda persona para provocar declaraciones en el resto de participantes y enjuiciarlas según los fragmentos de referencia a los que se ha hecho alusión arriba.

Dimensión de autoconfianza: enseñar a estudiar

La motivación también aumenta cuando se generan dinámicas donde cada estudiante puede experimentar cierta sensación de control; el alumnado más favorecido suele estar también más motivado porque ha desarrollado estrategias para controlar el estrés en las situaciones críticas: una buena atención a la diversidad será la que persiga generar esta sensación de control también entre estudiantes que suelen mostrar inseguridad. En el caso de la corrección de la escritura, un método que ha dado excelentes resultados es el de marcar las dudas ortográficas o gramaticales con un asterisco (Saneleuterio, e/p).

No obstante, dentro de la función epistémica de la escritura, hay otro método que, sin duda, desarrolla la competencia de aprender a aprender: el llamado «examen con chuleta», verdaderamente útil, siempre que no pretendamos medir la capacidad memorística del alumnado. El origen de esta fórmula es doble. En primer lugar, la propia experiencia como estudiante de Filología Hispánica, que puso en evidencia la conveniencia de los exámenes con apuntes, que ponían en juego competencias de selección, análisis, síntesis y capacidad expresiva. Sin embargo, con adolescentes no funciona dejarles consultar material, porque la inmensa mayoría —y especialmente quienes más dificultades tienen— se confía y no prepara el examen, o lo prepara mal y, como consecuencia, muchos dedican el tiempo de respuesta a la consulta y búsqueda de soluciones, que ni hallan en su totalidad ni les da tiempo a reflejar en el papel.

En segundo lugar, cabe mencionar un deseo personal de aquella época de estudiante al preparar los exámenes que sin material: la estrategia de estudio de condensar la asignatura entera en pocos esquemas —que, con un golpe de vista, permiten asimilar fácilmente la estructuración y jerarquía de los contenidos (con términos, fechas y nombres que deben recordarse para poder desarrollar con fluidez y propiedad las cuestiones por las que se preguntara)— puede llegar a implicar semanas enteras de trabajo intenso subrayando y sintetizando apuntes, leyendo o releyendo bibliografía, etc. Cuando este intenso trabajo de síntesis queda concluido un día o unas horas antes del examen, el cansancio acumulado y el poco margen para su memorización, que pueden llegar a desmoralizar después de todo el esfuerzo, al mismo tiempo ayudan a concienciar de que solo teniendo una imagen mental clara y legible de ese esquema en la memoria se podría bordar cualquier pregunta que pudiera encontrarse en la fotocopia del examen. En realidad, la experiencia acaba enseñando que es el trabajo duro previo el que garantiza la competencia necesaria que se refleja, normalmente, en una buena nota.

A diferencia del modelo de examen con interminables apuntes, esa deseada imagen mental del esquema bien puede materializarse en el único documento de consulta permitido. Si somos conscientes de que resulta conveniente que el alumnado realice un esfuerzo de comprensión, selección y síntesis para estudiar y asimilar la materia, lejos de imponerlo como una obligación, la clave está en saber que nada puede motivarles más a hacerlo que la posibilidad de consultar ese folio el día del examen. Como pautas metodológicas pueden mencionarse dos, que se determine el límite de extensión —como regla general, un folio— y que el esquema sea necesariamente manuscrito, para evitar meras fotocopias: solo un esquema propio se ajusta a las propias necesidades e implica un trabajo previo, que es el que asegura el éxito del enfoque. Si los copian a mano, al menos los tienen que transcribir, y siempre se aporta algo de propia cosecha.

Otras profesoras han propuesto actividades parecidas, como la técnica de «resumir para uno mismo» de Summers (1999), adaptada por Paula Carlino. Si bien ambas lo emplean específicamente para fomentar que lean la bibliografía, llegan a la misma conclusión que se ha destacado arriba: «lo que les ha sido de utilidad no es el producto dejado en el papel sino la tarea de leer y resumir para sí mismos *mientras* cursaban la materia» (Carlino, 2005, p. 82).

Una de las cosas que más sorprende a los estudiantes —y que no coincide con el procedimiento de Carlino— es que tienen libertad para incluir «lo que quieran» en ese folio. Si alguien tiene necesidad de recordar una regla de ortografía, un mensaje de ánimo de su madre, una cita literal o una fórmula interesante, realmente no debería haber ningún motivo para que no lo puedan anotar. Siendo el espacio limitado, deben desarrollar estrategias de selección y síntesis: cada persona sabe —o debería saber— mejor que nadie qué necesita y con qué nivel de detalle.

Control del orden: los exámenes

> Yo odio copiar en los exámenes, por eso copio, pero con una cara muy, muy triste —empieza a hacer pucheros para que lo entendamos, se saca un espejito del bolsillo y le gusta tanto su cara que aprovecha para un *selfie*—.
>
> [...] No copiar en un examen es insultar a tus compañeros, una prueba de que desconfías de su inteligencia —añade muy seria.
>
> María Frisa, *75 consejos para sobrevivir a los exámenes*

La gestión del orden en general (Gotzens, 1986; Rodríguez y Luca de Tena, 2001; L'Hôtellerie, 2009) puede ser una oportunidad para atender a la diversidad del alumnado. De líneas punitivas que homogenizan a los alumnos exigiendo normas sin excepción podemos pasar a categorías participativas (Carrascosa y Martínez, 1998), donde se llegue a acuerdos adaptados a las características del grupo, a través del diálogo y la inclusión (Vaello Orts, 2003).

En el caso de los exámenes individuales, deben preverse sistemas que no resulten injustos a los alumnos menos rápidos o menos favorecidos, sino que precisamente atiendan la especificidad de cada uno sin perder el control de la clase y del clima de concentración óptimo para la realización de un ejercicio de estas características.

Una experiencia de atención a la diversidad y control del orden en Secundaria es el denominado «método de la décima». La metodología que se empleó es sencilla de explicar: ante un problema generalizado de ruido, constantes preguntas, desconcentración y actitudes deshonestas durante los exámenes, se consensuó con el grupo de estudiantes de Secundaria un coste simbólico para cada duda resuelta por la profesora durante la realización de un examen: 0,1 sobre un total de 10 puntos que podían obtenerse en cada prueba. La alternativa era no poder hacer preguntas, así que en principio la aceptación no fue difícil. De acuerdo con la pauta de Jiménez y Correa (2003, p. 95), según la cual «las normas deben servir más para organizar el aprendizaje que para gobernar al alumno», fueron dos los objetivos principales que perseguía la aplicación del método de la décima: el primero —aunque en realidad vicario del segundo—, reducir considerablemente el número de preguntas o dudas que los alumnos y alumnas hacían a la profesora durante la ejecución del examen, tuvieran estas que ver con el contenido del mismo o no; el segundo, que con esa reducción el clima de aula ganara en silencio, siendo más fácilmente gestionable su orden por parte de la examinadora.

El objetivo subsidiario, el que se ha nombrado primero por entenderlo causa del segundo, fue desde el principio considerado como un objetivo pedagógicamente interesante por sus posibilidades de explotación didáctica: la imposibilidad de preguntar durante un examen —a veces se suele consignar explícitamente en la fotocopia que la comprensión de la pregunta forma parte de la evaluación— es cierto que obliga a plantear hipótesis, valorarlas y decantarse por una, pero no atiende las necesidades específicas y ayuda puntual que pueda presentar el alumnado menos favorecido, por lo que resultaría contrario al espíritu de la educación inclusiva. Dar opción al planteamiento de la duda, a cambio de un coste, además de atender a la diversidad manteniendo el orden, previsiblemente tendría un efecto aún mayor que el esfuerzo cognitivo de interpretación autónoma de las preguntas: que tras el esfuerzo comprensivo se produzca la necesidad de la toma de decisiones.

Aunque al principio las reacciones no fueron negativas, cuando llegó el momento del primer examen y los adolescentes se encontraron con su duda, y con sus ganas de satisfacerla al instante con eficiencia, el panorama cambió: a nadie le gusta «pagar» por obtener información. Incluso, a veces, los estudiantes se justificaban a sí mismos con la excusa de que la pregunta tenía poco o nada que ver con el examen (quizás sobre abrir o cerrar una ventana, sobre poder pedir un típex, sobre el tiempo restante o sobre dónde escribir ante la falta de espacio). Sin embargo, ante la rigidez en el respeto de las reglas, fuera cual fuera el referente de la duda, las actitudes de resistencia fueron decayendo.

Rápidamente, el alumnado se acostumbró a esta práctica, aceptándola como algo positivo: como paradoja, comprobaron que efectivamente obtenían mejores resultados en el ejercicio (consecuencia del aumento de concentración durante el tiempo de examen) y, sobre todo, veían que no era aplicada a modo de castigo, como quien baja una décima por actitud deshonesta, sino que se trataba de una decisión personal que cada uno podía tomar y que la profesora recibía con simpatía, no modificando su actitud alegre y democrática en ningún momento.

Una vez asumidas las reglas del «juego», el transcurso de los exámenes se transfiguró por completo. De la tendencia masiva a la pregunta y a su aprovechamiento para la indisciplina, e incluso para acciones o actitudes deshonestas durante el proceso de respuesta, el clima fue de silencio generalizado.

Ello ayudó, además, a que todos ganaran en concentración; centrándose en su ejercicio y en la distribución de su tiempo, fueron capaces de responder lo que querían sin dispersarse y, sobre todo, de acabar el examen a tiempo. La comparación de pruebas de semejante estructura y grado de dificultad evidenció, en efecto, que las calificaciones mejoraron.

Además, aprendieron a gestionar su prurito de preguntar compulsivamente: desarrollaron estrategias de lectura comprensiva que antes no habían llegado a poner en práctica de manera plena, al tiempo que aprendían a discriminar lo trivial de lo importante para la resolución correcta del examen. Así, maduraron en el proceso de toma de decisiones: habían de intentar autorresolverse las dudas mediante la valoración crítica de sus propias hipótesis y, en caso de no decantarse por ninguna autorrespuesta, llegar a sopesar la importancia de las mismas, baremando el valor de la posible respuesta por encima de su precio.

Así, y aunque por supuesto el planteamiento puede discutirse o mejorarse, lo cierto es que la experiencia fue plenamente satisfactoria y resulta, por ello, recomendable, especialmente en contextos educativos donde el profesorado se encuentre con situaciones parecidas a las descritas.

En resumen, el método, cuyo objetivo urgente consistía en garantizar el orden y el silencio durante la realización de exámenes, trajo consigo ventajas nada desdeñables: más allá del silencio y quietud que ayudan al control de los examinantes por parte del examinador (y que *per se* disminuyen la probabilidad de copia), se produjeron otros fenómenos como el aumento de las condiciones para que se diera la concentración o la mejora del control temporal por parte del alumnado (gestión del tiempo de examen). Pero, sobre todo, destaca el aprendizaje significativo en la lectura comprensiva y desarrollo de la autonomía en la toma de decisiones, dado que obliga al examinando tanto a esforzarse a interpretar los enunciados como a calcular los costes y beneficios en relación con el valor de la resolución de sus dudas.

Para saber más

Alonso Tapia, J. (1991). *Motivación y aprendizaje en el aula. Cómo enseñar a pensar.* Madrid: Santillana.

Álvarez Pérez, P. R. (2013). La tutoría como eje articulador del proceso de aprendizaje del alumnado. *Qurriculum: Revista de teoría, investigación y práctica educativa, 26,* 73-87.

Arlandis, S. (2021). *El desafío de la lectura. Educación literaria y formación lectora de futuros maestros.* València: Tirant Lo Blanch.

Blanchard, M., y Muzás, M.ª D. (coords.) (2018). *Equipos docentes innovadores. Formar y formarse colaborativamente.* Madrid: Narcea.

Boillos, F. (2020). El uso de la gamificación y el *escape room* educativo como herramienta para el fomento de la lectura en el aula. En *II Congreso Internacional de la Red de Universidades Lectoras,* Lleida, Universitat de Lleida.

Bonals, J. (1996). *El trabajo en equipo del profesorado.* Barcelona: Graó.

Camps, A. (1994). *L'ensenyament de la composició escrita.* Barcelona: Barcanova.

Carlino, P. (2005). *Escribir, leer y aprender en la universidad. Una introducción a la alfabetización académica.* Buenos Aires: Fondo de Cultura Económica.

Cerrillo, P., y García Padrino, J. (eds.) (1996). *Hábitos lectores y animación a la lectura.* Cuenca: Publicaciones de la Universidad de Castilla-La Mancha.

Coll, C., *et allii* (1993). *El constructivismo en el aula.* Barcelona: Graó.

Coll, C., y Solé, I. (2008). Enseñar y aprender. En Coll, C., Palacios, J., y Marchesi, A. (coords.), *Psicología de la educación escolar.* Madrid: Alianza.

Coronas, M. (2000). Hábito lector. *Cuadernos de Pedagogía, 289,* 53-56.

Corral Cañas, C. (2015). Gigantes digitales. *Quijote en 17000 tuits* de Diego Buendía y *Escribe tu propio Quijote* de Belén Gache. *Caracteres. Estudios culturales y críticos de la esfera digital, 4*(1), 50-60. http://go.uv.es/j5ZwCou

Cruz Gimeno, M.ª J. (2014). La lectura al amparo de la LOMCE: el Plan Lector. *Fórum Aragón, 12,* 37-41. http://formacion.intef.es/pluginfile.php/49506/mod_imscp/content/1/LaLecturaAl AmparoDeLaLOMCE.pdf

Delors, J. (1996.). Los cuatro pilares de la educación. *La educación encierra un tesoro. Informe a la UNESCO de la Comisión internacional sobre la educación para el siglo XXI* (pp. 91-103). Madrid: Santillana/UNESCO. http://uom.uib.cat/digitalAssets/221/221918_9.pdf

Dereck, E., y Mercer, N. (1999). *El conocimiento compartido: el desarrollo de la comprensión en el aula.* Barcelona: Paidós.

Durán, C., López, I., Sánchez-Enciso, J., y Sediles, Y. (2009). *La palabra compartida. La competencia comunicativa en el aula.* Barcelona: Octaedro.

Escandell Montiel, D. (2014a). *Escrituras para el siglo XXI. Literatura y blogosfera.* Madrid: Iberoamericana.

Escandell Montiel, D. (2014b). Tuiteratura: la frontera de la microliteratura en el espacio digital. *Iberic@l,* 5, 37-48. http://iberical.paris-sorbonne.fr/wp-content/uploads/2014/04/05-05.pdf

Finkel, D. (2000). *Dar clase con la boca cerrada.* Valencia: PUV.

Flores, Ó., Del Arco, I., y Silva, P. (2018). Modelos flexibles de formación: una respuesta a las necesidades actuales. En Carrasco, S., y De Corral, I. (coords.), *Docencia universitaria e innovación* (pp. 103-136). Barcelona: Octaedro.

Garrido, J., Marchena, R., Fernández, C., y López, N. (2001). *Programa para el desarrollo de la competencia integradora del profesorado.* Málaga: Aljibe.

Gómez López, N., y Fernández Campoy, J. M. (eds.) (2020). *Las metodologías didácticas innovadoras como estrategia para afrontar los desafíos educativos del siglo XXI.* Dykinson.

Gutiérrez Sebastián, R. (2016). *Manual de literatura infantil y educación literaria.* Santander: Editorial de la Universidad de Cantabria.

Imbernón, F. (1994). *La formación y el desarrollo profesional del profesorado. Hacia una nueva cultura profesional.* Barcelona: Graó.

Imbernón, F. (2006). La profesión docente en la globalización y la sociedad del conocimiento. En Escudero, J. M., y Gómez, A. L. (eds.), *La formación del profesorado y la mejora de la educación* (pp. 231-244). Barcelona: Octaedro.

Imbernón, F. (2008). *La formación y el desarrollo del profesorado. Hacia una nueva cultura profesional.* Barcelona: Graó.

Junco, R., Heibergert, G., y Loken, E. (2011). The effect of Twitter on college student engagements and grades. *Journal of computer assisted learning, 27,* 119-132.

Ley Orgánica 2/2006, de 3 de mayo, de Educación. *Boletín Oficial del Estado,* 106, de 4 de mayo. https://www.boe.es/buscar/pdf/2006/BOE-A-2006-7899-consolidado.pdf

Ley Orgánica 8/2013, de 9 de diciembre, para la Mejora de la Calidad Educativa. *Boletín Oficial del Estado, 295,* de 10 de diciembre, 97858-97921. https://www.boe.es/eli/es/lo/2013/12/09/8

Ley Orgánica 3/2020, de 29 de diciembre, por la que se Modifica la Ley Orgánica 2/2006, de 3 de mayo, de Educación. *Boletín Oficial del Estado,* 340, de 30 de diciembre 122868-122953. https://www.boe.es/eli/es/lo/2020/12/29/3

Lluch, G. (2010). Las nuevas lecturas deslocalizadas de la escuela. *Las lecturas de los jóvenes. Un nuevo lector para un nuevo siglo* (pp. 105-128). Barcelona: Anthropos.

López Molina, J., y López Muyor, P. (2003). *Lectura y hábito lector.* Granada: GEU.

Marina, J. A., Pellicer, C., y Manso, J. (2015). *Libro blanco de la profesión docente y su entorno escolar.* Madrid: Ministerio de Educación, Cultura y Deporte. http://educalab.es/documents/10180/38496/LIBRO-BLANCO_ProfesionDocente_JAM_v11.pdf/e4e1d927-6a61-4897-bca0-ada011dca331.

Martín Lobo, P. (2004). *Niños inteligentes: Guía para desarrollar sus talentos y altas capacidades.* Madrid: Palabra.

Martín Peris, E. (1998). El profesor de lenguas: papel y funciones. En Mendoza, A. (coord.), *Conceptos clave en didáctica de la lengua y la literatura* (pp. 87-100). Barcelona: Horsori.

Martos, A., y Martos, E. (2016). La perspectiva performativa en las ciencias sociales y en las prácticas alfabetizadoras de educación ambiental, literaria y patrimonial. *Caracteres. Estudios Culturales y Críticos de la Esfera Digital,* 5(1), 10-40. http://go.uv.es/CE0FQZK

Mendoza, A. (coord.) (1998). *Conceptos clave en didáctica de la lengua y la literatura.* Barcelona: Horsori.

Mendoza, A. (2002). Las funciones del profesor de Literatura: bases para la innovación. *Aspectos didácticos de lengua y literatura, 12,* pp. 109-140.

Mercer, N. (1995). *The guided construction of Knowledge. Talk amongst teachers and learners.* Clevedon: Multilingual Matters Ltd.Trad.: *La construcción guiada del conocimiento. El habla de profesores y alumnos.* Barcelona: Paidós, 1997.

Milian, M., y Camps, A. (2006). El razonamiento metalingüístico en el marco de secuencias didácticas de gramática (SDG). En A. Camps (coord.), *Diálogo e investigación en las aulas.* Barcelona: Graó.

Noguera, Í. (2015). Rediseño de dos asignaturas incorporando el juego de rol y Twitter para fomentar la motivación de los estudiantes. @tic. *Revista d'Innovació Educativa, 14,* 31-40. <http://dx.doi.org/10.7203/attic.14.4511>.

Palomo, N. (1997). Programar para la diversidad. *Textos de Didáctica de la Lengua y de la Literatura, 13,* 103-114.

Pareja Olcina, M. (2021). Animación lectora a través de la novela juvenil *Dame un like* con grupos cooperativos. En *Nuevos caminos para la lectura, la literatura y la comunicación* (pp. 185-196). Lleida: Edicions de la Universitat de Lleida. http://dx.doi.org/10.21001/caminos.lectura.literatura.comunicacion.2021

Real Decreto 1105/2014, de 26 de diciembre, por el que se establece el currículo básico de la Educación Secundaria Obligatoria y del Bachillerato. *Boletín Oficial del Estado, 3,* de 10 de enero. https://www.boe.es/eli/es/rd/2014/12/26/1105/con

Rosado, C. (2019). *Escape room* educativo: la nueva metodología del colegio soriano que arrasa en PISA. *ABC Castilla y León,* 17 de enero. https://www.abc.es/espana/castilla-leon/abci-escape-room-educativo-nueva-metodologia-utiliza-colegio-soriano-arrasa-pisa-201901171322_noticia.html

Sánchez García, S., Lluch Crespo, G., y Del Río Toledo, T. (2013). La lectura en la web 2.0. Estudio de caso: los blogs en el «Reto Delirium». @tic. *Revista d'Innovació Educativa, 10,* 75-84. http://dx.doi.org/10.7203/attic.10.1783

Saneleuterio, E. (2018). Perversión en la atribución de roles literarios: un enfoque didáctico integrador. *Caracteres. Estudios Culturales y Críticos de la Esfera Digital,* 7(1), 100-125. http://revistacaracteres.net/revista/vol7n1mayo2018/perversion/

Saneleuterio, E. (2020). La gamificación como cierre de las sesiones de lengua. En Figueroa Correa, G. I. (ed.), *Transformación de los procesos de transmisión y apropiación del conocimiento. Experiencias y mecanismos soportados en entornos tecnológicos de información y comunicación* (pp. 121-130). Madrid: GKA Ediciones.

Saneleuterio, E. (2020). Motivar al alumnado: ¿rutina vs. gamificación? En Gómez López, N., y Fernández Campoy, J. M. (eds.), *Las metodologías didácticas innovadoras como estrategia para afrontar los desafíos educativos del siglo XXI* (pp. 28-40). Madrid: Dykinson.

Saneleuterio, E. (e/p). El método del asterisco para reducir las faltas ortográficas y gramaticales en los exámenes. *Boletín de Filología*.

Saneleuterio, E., y Alonso-Stuyck, P. (2016). Tipos de motivación para el desarrollo de la conciencia gramatical y ortográfica. En Juan Luis Castejón Costa (coord.). *Psicología y Educación: Presente y Futuro* (pp. 1707-1715). Alicante: Asociación Científica de Psicología y Educación. http://www.cipe2016.com/cipe_final_capitulos.pdf

Sanmartín, O. R. (2021). El currículo de la ESO de Lengua Castellana dará prioridad a la «diversidad lingüística» y fomentará la «reflexión interlingüística». *El Mundo*, 9 de octubre.
https://www.elmundo.es/espana/2021/10/09/6160852721efa0b1028b45ff.html

Sevilla, S. (2018). La aventura interminable: algunas claves sobre la motivación y los procesos de lectura. *Revista Cálamo FASPE*, 66, 1-6. https://ebuah.uah.es/dspace/handle/10017/41882

Summers, R. (1999). How can we get students to do their readings? Some strategies explored. En Martin, K., Stanley, N., y Davidson, N. (comps.), *Teaching in the Disciplines, Learning in Context* (pp. 401-402). Perth: University of Western Australia.

Watzlawick, P. (1994). *El lenguaje del cambio. Nueva técnica de la comunicación terapéutica*. Barcelona: Header.

Este llibre es va acabar d'escriure
en la festa del 9 d'Octubre de 2021,
Sant Donís,
Dia dels Enamorats Valencians
i Dia de la Comunitat Valenciana.